AF533215

Wien Archäologisch ▪ Band 13
Herausgeberin: Karin Fischer Ausserer

Museen der Stadt Wien – Stadtarchäologie

Christine Ranseder ▪ Sylvia Sakl-Oberthaler ▪
Martin Penz ▪ Michaela Binder ▪ Sigrid Czeika

Mit Beiträgen von Sabine Jäger-Wersonig und Leslie Quade

Napoleon in Aspern. Archäologische Spuren der Schlacht 1809

Wien 2017

Inhaltsverzeichnis

Vorwort der Herausgeberin 7

Einleitung 9

Ein Jahrtausende alter Siedlungsboden am Rande des Marchfeldes 9

Vom Schlachtfeld zum archäologischen Fundplatz 10

Die Schlacht von Aspern im historischen Kontext

Napoleons Expansionspolitik 15

Österreich im 5. Koalitionskrieg (10. April–14. Oktober 1809) 16

Napoleon vor den Toren Wiens 19

Die Schlacht von Aspern-Essling (erste Marchfeldschlacht) 21

Was danach geschah 29

Was von der Schlacht im Boden verblieb ...

Die Gräber gefallener Soldaten 35

Soldatengräber am Schlachtfeld? – Die zurückgelassenen Gefallenen 37

Uniform- und Ausrüstungsbestandteile 47

Die Adjustierung der österreichischen Armee 47

Die Adjustierung der Armee Napoleons 54

Die Funde aus den 2009 bis 2016 aufgedeckten Gräbern 58

Die Bewaffnung 82

Ein napoleonisches Flintensteindepot im Schloss Neugebäude 84

Die Pferde am Schlachtfeld 89

Gut zu Huf? 94

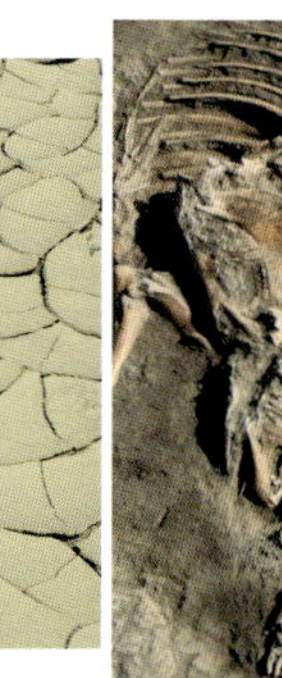

Soldatenschicksale

Leben und Tod in den Napoleonischen Kriegen 99
Menschliche Überreste als Quelle zur Rekonstruktion der Vergangenheit 100
Soldatenleben im 18./19. Jahrhundert 103
Krankheiten und Mangelernährung 103
Zahngesundheit 107
Körperliche Belastung 109
Der Tod auf dem Schlachtfeld 113
Sterbealter der Soldaten 116
Abschließende Betrachtungen 120

Erinnerungen an die Schlacht – Ausflüge zu Denkmälern auf Wiener Stadtgebiet

Personenkult und Gedenken 123
Heldenverehrung zum Ruhme des Hauses Habsburg 123
Vom „Löwen von Aspern“ zum Schüttkasten in Essling 125
Gedenksteine als Erinnerung an Napoleons Heerlager in der Lobau 127

Anhang
Die Heerführer 132
Die Kampftechnik 134
Archäologische Belege der Schlacht bei Aspern-Essling (1809) 135

Literatur 143 | Abbildungsnachweis 148 | Impressum 150

Vorwort der Herausgeberin

Gewalt und Aggression lassen sich durch die ganze Menschheitsgeschichte verfolgen, seit jeher kommen deshalb auch immer wieder archäologische Befunde aus allen Epochen zu Tage, welche in solchem Zusammenhang gesehen werden müssen. In konzentrierter Form gilt dies auch für die „organisierte Gewalt" auf den Kriegsschauplätzen jüngerer Zeit. So ist in den letzten Jahren dieses Thema unter dem Schlagwort „Schlachtfeldarchäologie" vermehrt zu einem Untersuchungsgegenstand verschiedener kultur- und naturwissenschaftlicher Forschungsdisziplinen geworden.

Auch in der Seestadt Aspern, deren Entstehung die Stadtarchäologie Wien seit 2008 bodendenkmalpflegerisch begleiten konnte, sind wir mit Relikten dieser Art konfrontiert. Das große Interesse an unseren „Napoleon-Befunden" konnten wir uns in erster Linie durch die berühmten Namen und Begebenheiten dieser „großen österreichischen Weltgeschichte" erklären. Allerdings ist die hohe Popularität dieses Zeitabschnittes an den zahlreichen Buch- und Film-Bestsellern, Regionalmuseen, Militaria-Sammlern oder Reenactment-Vereinen in ganz Europa ablesbar.

Ein archäologischer Zugang zu diesem Thema ist nicht nur im wörtlichen Sinn sehr einer „Geschichte von unten" verhaftet; sozialhistorische Aspekte werden hier immer wieder angerissen. Gerade auch die vielen Funde menschlicher Überreste rufen uns ins Bewusstsein, dass der Boden, auf dem wir leben, auch von „offiziellen" Gewaltereignissen der jüngeren Geschichte mitunter stärker „kontaminiert" bleibt, als es uns lieb ist. Vor ihrer Umbettung in heutige Friedhofsareale kann die moderne Forschung zwischenzeitlich auf die Gebeine als „Informationsträger" zugreifen. Im Gegenzug erhält vielleicht so mancher „stumme Zeuge der Geschichte" eine Stimme, um auf sein Leid und die Sinnlosigkeit dieses kollektiven Gemetzels hinzuweisen.

Karin Fischer Ausserer

Links: Ein gefallener Soldat, der einst im 105. Regiment der französischen Linieninfanterie diente (V5/2012).

21
19
20
22
14
17
18
9
16
8
1
2
7
15
6
3
5
4
13
12
11
23
10

Einleitung

Ein Jahrtausende alter Siedlungsboden am Rande des Marchfeldes

Seit 1904 ist Aspern mit dem Gebiet des ehemaligen Schlachtfeldes, seit 1938 auch das angrenzende Essling ein Teil von Wien, beide Orte zählen heute zum 22. Gemeindebezirk Donaustadt. Der vormalige offizielle Name „Aspern an der Donau" stellt bereits die grundsätzlichen topografischen Gegebenheiten dieses Ortes klar: Bis zur Zeit der Donauregulierung 1870–1875 begann unmittelbar außerhalb des südlichen Ortsrandes eine durch die hier stark mäandrierenden Nebenarme der Donau geprägte Aulandschaft. Etwa auf der Linie zwischen den beiden Orten Aspern und Essling verlief eine unscheinbare Geländestufe, der „Kleinste Wagram". Sie setzte das Hinterland der weiten Marchfeldebene von den Donauauen ab.

Diese naturräumliche Lage mit unmittelbarem Zugang zu den Ressourcen am Wasser, im Auwald, aber ebenso zu den fruchtbaren Ackerböden im nördlichen Anschluss daran wurde bereits früh von den Menschen als Siedlungsraum geschätzt. Die ältesten Siedlungsspuren lassen sich bereits aus frühneolithischer Zeit (ca. 5.000 v. Chr.) finden. Längerfristige und ausgedehntere Siedlungen, die auch bei den jüngsten Grabungen im Südosten der Seestadt gut erfasst werden konnten, bestanden während der mittleren Kupferzeit (sog. Badener Kultur, ca. 3.300–3.000 v. Chr.) sowie der mittleren und späten Bronzezeit (ca. 1.500–1.000 v. Chr.).

Auf den weiter südlichen Bereichen des General-Motors-Werkes sowie im Ortsgebiet von Aspern sind zudem auch bedeutende keltische und germanische Siedlungen bekannt geworden (späte Eisenzeit bis Spätantike, ca. 1. Jh. v. Chr. bis 5. Jh. n. Chr.). Verschiedene weitere archäologische Funde in der näheren und weiteren Umgebung deuten eine fast lückenlose Besiedlungskontinuität bis in heutige Tage an.

Links oben: Verlandete Nebenarme der Donau zeichnen sich noch heute im Boden als dunkle, lehmige Bereiche ab. **Links unten:** Archäologische Grabungen in der Seestadt 2014: Kupferzeitliche Keramikgefäße werden freigelegt. Eines der Gefäße in restauriertem Zustand.

Vom Schlachtfeld zum archäologischen Fundplatz

Auf den weitläufigen Feldern zwischen Aspern und Essling, auf welchen 1809 das hauptsächliche Schlachtgeschehen stattfand, ließen sich seitdem stets auch Relikte der kriegerischen Auseinandersetzungen an der Oberfläche finden. Während gebrauchsfähige Waffen und Ausrüstungen sowie wertvolle Trophäen und sonstige „denkwürdige" Zeugnisse die militärischen Zeughäuser (Arsenale) bzw. die kaiserlichen Sammlungen füllten, blieben zahllose unscheinbare oder unbrauchbare Gegenstände dieser Art an Ort und Stelle im Boden.

Ungefähr zu Beginn des Ersten Weltkrieges stellte ein Asperner Gastwirt, sei es aus heimatgeschichtlichem Interesse oder aus zeitgenössischem Patriotismus, in einem Schaukasten solche aufgesammelten Erinnerungsstücke aus. Der eines Tages zufällig anwesende Lehrer Josef F. Kastner (1888–1968) be-

Vor der Errichtung des Opel-/Gerneral-Motors-Werks erfolgten großflächige Ausgrabungen am Gelände des ehemaligen Flugfelds. Dabei kamen auch Massenbestattungen von im Jahr 1809 gefallenen Soldaten zutage.

merkte darunter auch einige steinzeitliche Objekte, die ihn zu weiteren Recherchen anspornten. In der Folge entdeckte er hier rund um das damalige Flugfeld im Nordosten von Aspern eine ausgedehnte archäologische Fundlandschaft, die er auch noch Jahre später als nebenberuflich promovierter Prähistoriker und ehrenamtlicher Mitarbeiter des Bundesdenkmalamtes laufend weiter erforschen konnte.

Größere Bauvorhaben in diesen Bereichen gaben dann mehrmals Gelegenheit zu systematischen archäologischen Untersuchungen, die zumeist von Vorgängerinstituten des heutigen Wien Museums durchgeführt wurden. So etwa, als das seit 1912 bestehende Flugfeld im Jahr 1939 erheblich vergrößert und mit Beton-Rollbahnen versehen wurde, oder als 1980 nach dessen Auflassung am südlichen Ende das Opel-/General-Motors-Werk errichtet wurde.

Archäologische Grabungen in der Seestadt 2010. Typische Überreste von urgeschichtlichen Siedlungen sind die zahlreichen ehemaligen Speicher- und Kellergruben, die nach ihrer Nutzung oft mit Siedlungsabfall verfüllt wurden.

Bald nach der Jahrtausendwende wurden die Pläne konkreter, auf dem verbleibenden 240 Hektar großen Areal des ehemaligen Flugfeldes ein neues Stadtentwicklungsgebiet entstehen zu lassen. Rund um einen künstlichen See sollen Wohn-, Freizeit-, Bildungs- und Gewerbeflächen für 20.000 Bewohner und Bewohnerinnen geschaffen werden. Mittlerweile ist die erste Bauetappe des ambitionierten Projektes so gut wie fertiggestellt, auch eine eigene U-Bahn-Anbindung in die „Seestadt Aspern" existiert bereits. Aufgrund eines sog. UVP-Verfahrens fanden auch die Anliegen der archäologischen Bodendenkmalpflege in den Bauauflagen Berücksichtigung. Auf dieser Basis konnte die Stadtarchäologie Wien von 2008 bis 2016 acht Grabungskampagnen sowohl bei den städtebaulichen Vorhaben als auch beim U-Bahn-Bau durchführen. Idealerweise konnte dabei bereits vor dem jeweiligen eigentlichen Baubeginn der flächige Abtrag des humosen Oberbodens systematisch kontrolliert werden. Im Falle vorhandener archäologischer Befunde wurden diese im Zuge darauf folgender Rettungsgrabungen weiter untersucht und dokumentiert, ohne mit dem Baugeschehen in zeitlichen Konflikt zu geraten.

Neben Belegen für eine prähistorische Siedlungstätigkeit wurden dabei wiederholt auch Bestattungen, die mit der Schlacht von Aspern in Zusammenhang stehen, aufgedeckt. Sie werden in diesem Buch erstmals zusammenfassend mit einer Analyse der geborgenen Uniformreste und der anthropologischen Auswertung im Kontext von Zeitgeschehen und Heerwesen präsentiert. M. P.

Die Schlacht von Aspern im historischen Kontext

Napoleons Expansionspolitik

Napoleon I. Bonaparte (1769–1821) kann wohl als beherrschende Persönlichkeit seiner Zeit bezeichnet werden. Er war gleichzeitig Vollender und Überwinder der Französischen Revolution. Die unter der Führung dieses militärischen Genies übermächtig gewordene Großmacht Frankreich stellte mit seinen Verbündeten für andere Länder eine latente Bedrohung dar und gefährdete das europäische Gleichgewicht der Kräfte. Monarchien mit traditioneller Gegnerschaft zu Frankreich befanden sich somit in einem Zustand dauernder Unsicherheit. Daher gab es immer wieder Versuche einzelner Großmächte oder verbündeter Nationen, die Vorherrschaft Frankreichs zu beenden. Jedoch schien mit den herkömmlichen Mitteln der Kriegsführung keine Wende möglich.

Napoleon seinerseits war nach fulminanten militärischen Erfolgen von den Franzosen am 18. Mai 1804 zum erblichen Kaiser ausgerufen worden und hatte sich am 2. Dezember 1804 mit Billigung und in Anwesenheit des Papstes zum Kaiser (Napoleon I.) krönen lassen. Sein Thron beruhte aber nicht auf dem Erbe einer Dynastie, sondern ausschließlich auf der Überlegenheit seines Heeres. Deshalb sah er seine Macht rasch gefährdet und begegnete jeder Bedrohung sofort mit einem Gegenschlag.

Die durch die Französische Revolution ausgelöste Destabilisierung der europäischen Machtverhältnisse und die Reaktionen der Rivalen Frankreichs auf diese Situation führten ab 1792 zu kriegerischen Auseinandersetzungen mit jeweils unterschiedlichen Bündnissen europäischer Staaten. Als wichtigste Bündnispartner sind Österreich, Preußen, Großbritannien, Russland, das Osmanische Reich und Schweden zu nennen. Diese Konflikte sind später unter den Namen „Koalitionskriege" oder „Napoleonische Kriege" in die Geschichte eingegangen.

Links: Napoleon umgeben von seinen Generälen. Lithografie von J. Konrad nach einem Gemälde von D. Monten (1799–1843). (Österreichische Nationalbibliothek Wien, Bildarchiv)

Österreich im 5. Koalitionskrieg (10. April–14. Oktober 1809)

Verschiedene Umstände führten im Jahr 1809 zum Wiedereintritt Österreichs in den Kampf gegen Napoleon. So hatte Österreich durch seine massiven Gebietsverluste im Frieden von Preßburg nach der Schlacht von Austerlitz 1805 stark an politischer Bedeutung verloren. Am Wiener Hof begann sich ab Dezember 1808 eine Kriegspartei unter Außenminister Johann Philipp Graf von Stadion zu formieren, welche die alte Bedeutung Österreichs wiederherstellen wollte. Nicht zu unterschätzen ist hier auch der Einfluss von Maria Ludovika Beatrix von Modena. Sie war die dritte Ehefrau von Kaiser Franz I. und eine fanatische Gegnerin Napoleons, denn ihre Familie war durch seine Truppen aus dem Herzogtum Modena vertrieben worden. Entscheidend war überdies die Verbindung zu den Tiroler Freiheitskämpfern, welche die seit 1805 bestehende bayerisch-französische Besatzung abschütteln wollten.

Napoleon hatte zu dieser Zeit mit einem Volksaufstand in Spanien zu kämpfen und dieser Umstand motivierte die österreichische Bevölkerung, sich ebenfalls zu bewaffnen und eine neue Strategie gegen Napoleon zu wagen, nämlich einen Volkskrieg. Eine stark nationalistisch gefärbte Propaganda gegen Napoleon hatte zusätzlich die Bereitschaft zu einem neuerlichen Krieg erhöht. Dazu kam, dass der Generalissimus der habsburgischen Armee, Erzherzog Karl von Österreich-Teschen, ein Bruder Franz I., bei Volk und Militärs gleichermaßen beliebt war. Man begann also mit den Kriegsvorbereitungen: Erzherzog Johann, ein weiterer Bruder Franz I., wurde mit der Aufstellung eines Volksheeres, den sogenannten Landwehren, beauftragt. Er nahm Verbindung mit den Tiroler Freiheitskämpfern auf und war außerdem Oberbefehlshaber der österreichischen Italienarmee, sein älterer Bruder Karl führte die österreichische Armee. Militärische Verbündete wie Preußen oder Russland zu gewinnen, gelang allerdings nicht, obwohl sich Graf Stadion intensiv darum bemüht hatte.

Am 25. März 1809 wurde ein Kriegsmanifest veröffentlicht, das von Friedrich von Gentz (1764–1832) – einem aus Preußen stammenden Diplomaten, Schriftsteller und späteren Berater von Fürst Metternich – verfasst worden war. Am 9. April 1809 erfolgte Österreichs Kriegserklärung an Frankreich. Am 10. Mai überschritten die ersten Truppen bei Braunau die Grenze gegen Bayern und marschierten bis in den Raum südlich von Regensburg. Napoleon seinerseits führte seine Truppen in Eilmärschen nach Bayern. Entgegen den hochgespannten österreichischen Erwartungen wendete sich das Kriegsglück jedoch rasch zugunsten der Franzosen. Die Gefechte bei Eggmühl und Abensberg sowie Regensburg wurden zu ihren Gunsten entschieden. Es gelang Napoleons Armee außerdem, das österreichische Heer zu spalten. Der linke Flügel des Heeres wurde abgedrängt, der Rest musste sich auf das Nordufer der Donau retten. An diesem Punkt entschied sich Erzherzog Karl, seinem Gegner ein schriftliches Friedensangebot zu unterbreiten. Napoleon ließ dieses Schreiben jedoch unbeantwortet. Die daraus entstandene Führungskrise im österreichischen Heer wurde eilig durch die Bestellung eines neuen Generalquartiermeisters in der Person von Maximilian Freiherr von Wimpffen beigelegt. Feldmarschallleutnant Johann Freiherr von Hiller marschierte, verfolgt von Napoleon, mit dem südlich der Donau verbliebenen Heeresteil zurück nach Wien und konnte sich erst bei Krems an das Nordufer der Donau retten. Zuvor dirigierte er noch 10.000 Mann für die Verteidigung Wiens nach Osten. Erzherzog Karl war durch Böhmen in Richtung Osten marschiert, nachdem klar geworden war, dass Napoleon sich nicht unterwegs zur Schlacht stellen würde. Er gelangte schließlich im Norden von Wien ins Marchfeld, wo er sein Hauptquartier unweit des Bisamberges aufschlug.

S. S.-O.

Napoleon vor den Toren Wiens

Die französische Armee hatte sich also – entgegen den österreichischen Erwartungen – unterwegs zu keiner Schlacht bewegen lassen, sondern Napoleons erklärtes Ziel war Wien. Schon 1805 war es ihm gelungen, die Donaubrücken zu erobern, die Stadt war ihm kampflos übergeben worden und er hatte sich vor dem Frieden von Preßburg (26. Dezember 1805) bereits einige Tage in Schönbrunn aufgehalten.

In der Reichshauptstadt versuchte man nun im Frühjahr 1809 in letzter Minute die Befestigungsanlagen, die in keinem guten Zustand waren, instand zu setzen und die Gebäude auf den Basteien und im Stadtgraben niederzureißen. Doch diese Anstrengungen erwiesen sich als vergeblich. Auch die von Feldmarschall Hiller nach Wien entsandten 10.000 Mann konnten die Situation nicht mehr retten. Die Stadt kapitulierte nach kurzem Beschuss am 13. Mai 1809. Im Hauptquartier hatte man damit gerechnet, dass Wien sich bis zum Eintreffen des Hauptheeres halten werde. Der Schwager des Kaisers, Erzherzog Maximilian, der die Verteidigungsaktion leitete, entschied sich jedoch, mit seinen Truppen die Stadt zu verlassen, da die Verstärkung in Gestalt der Armee unter Erzherzog Karl erst Tage später eintreffen konnte. Die Taborbrücke, als letzte noch bestehende Verbindung zur Stadt, wurde abgebrannt. Napoleon seinerseits hielt in Schönbrunn Einzug. Die Eroberung der Reichshauptstadt war sowohl ein psychologischer als auch ein strategischer Vorteil, letzteres für die Versorgungssituation des französischen Heeres. Eine mehrmonatige Besatzung Wiens sollte nun folgen. S. S.-O.

Links: Das Bombardement von Wien in der Nacht vom 11. auf den 12. Mai 1809, aus: A. de Laborde, Précis Historique de la Guerre entre la France et l´Autriche en 1809, Paris 1822. (Wienbibliothek im Rathaus, Druckschriftensammlung)

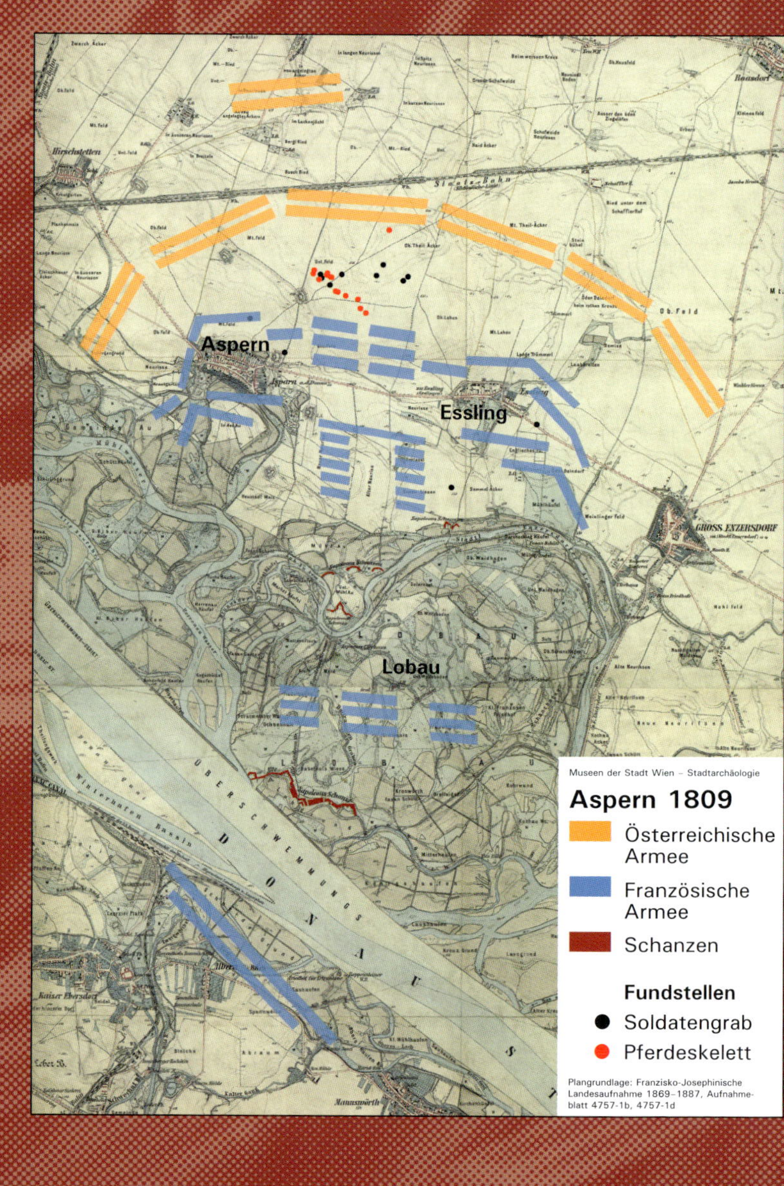
Aspern
Essling
Lobau
Museen der Stadt Wien – Stadtarchäologie
Aspern 1809
Österreichische Armee
Französische Armee
Schanzen
Fundstellen
Soldatengrab
Pferdeskelett
Plangrundlage: Franzisko-Josephinische Landesaufnahme 1869–1887, Aufnahmeblatt 4757-1b, 4757-1d

Die Schlacht von Aspern-Essling (erste Marchfeldschlacht)

Inzwischen war auch der Generalissimus Erzherzog Karl mit seinen Truppen eingelangt und so war die gesamte österreichische Armee am Nordufer der Donau wieder versammelt. Die Generalität beschloss, abzuwarten und es im Marchfeld zur Schlacht kommen zu lassen. Die Wahl des Ortes erklärt sich durch dessen topografische Lage. Die Donauterrasse wurde hier nur durch längliche Senken und Mulden durchzogen, die als verlandete ehemalige Gerinne und Nebenarme der Donau nur geringe Terrainunterschiede zuließen. Ansonsten war das als Ackerland genutzte Gebiet flach und gut einsehbar. Die Nebenarme, das Auen- und das Überschwemmungsgebiet der Donau reichten bis zur großen Flussregulierung 1870–1875 beinahe bis an den südlichen Ortskern von Aspern heran und boten gute Deckung. Das Marchfeld war also ein ideales Aufmarschgebiet für eine „entwickelte Schlacht" und entsprach somit den Vorstellungen der zeitgenössischen Militärstrategen. Diese Ansicht teilte übrigens auch die französische Generalität, wie man zum Beispiel den Memoiren von Marschall André Masséna entnehmen kann.

Den Ausgang ins Marchfeld bildeten die Ortschaften Aspern und Essling. Beide Dörfer boten sich aufgrund ihrer Ortsstruktur für eine Verteidigung an. Aspern besaß eine auf einem Hügel stehende Kirche mit ummauertem Friedhof, einen Pfarrhof und einen Schutzdamm gegen Hochwasser, auch waren seine breiten Gassen mit schmalen Quergässchen geeignet für schnelle Truppenverschiebungen. In Essling stellte hingegen der Schüttkasten, ein großer steinerner Getreidespeicher, ein ideales Zentrum für Verteidigungsmaßnahmen dar.

Nach einigen Tagen des Abwartens beider Armeen am rechten und linken Donauufer schickte sich Napoleon an, die Donau zu überschreiten. Sein erster Versuch am 13. Mai bei der Schwarzen Lacken Au auf der Höhe des Bisamberges, bei dem gleichzeitig das Hauptquartier des Gegners eingenommen werden sollte, missglückte aber aufgrund des heftigen Widerstan-

Links: Die topografische Lage des Schlachtfelds und Napoleons Hauptquartier in der Lobau. Die Bahnlinie im Norden und die bereits regulierte Donau entsprechen nicht den Verhältnissen im Jahr 1809.

des der Österreicher. Danach befahl Napoleon seinem Marschall Masséna, den Brückenschlag auf die Insel Lobau auf der Höhe von Kaiserebersdorf vorzubereiten. Seine Strategie bestand darin, Aspern und Essling zu okkupieren, um sie als Brückenköpfe auszubauen und in ihrem Schutz seine gesamte Armee mithilfe einer eigens erbauten Brücke über die Donau zu bringen. Die französische Pioniertruppe errichtete also eine Brücke aus Pontons und anderem Material, die allerdings erst am 20. Mai fertiggestellt werden konnte. Auf ihr überschritt Napoleon als Erster den Hauptarm der Donau.

Am 21. Mai, dem Pfingstsonntag des Jahres 1809, begann die Schlacht. Über das Schlachtgeschehen am 21. und 22. Mai 1809 sind wir durch zeitgenössische Beschreibungen – wie etwa die Aufzeichnung der teilnehmenden Generäle, persönliche Briefe von Erzherzog Karl und überdies durch eine lange Reihe militärhistorischer Schriften – überaus gut infor-

Die Zelte Napoleons auf der Insel Lobau, aus: A. de Laborde, Précis Historique de la Guerre entre la France et l´Autriche en 1809, Paris 1822. (Wienbibliothek im Rathaus, Druckschriftensammlung)

miert. Bereits 1910 wurden die militärhistorischen Quellen in einem Werk des österreichischen Generalstabs umfassend aufgearbeitet. Es gibt daher Situationspläne zu so gut wie jeder Veränderung der Konstellationen am Schlachtfeld.

Die Truppenstärke der Österreicher belief sich zu diesem Zeitpunkt auf ca. 84.000 Mann, etwa 14.200 Reiter und 288 Geschütze. Zu einem beherrschenden Faktor für die Kämpfe entwickelte sich ein durch die Schneeschmelze ausgelöstes Donauhochwasser, das den Truppenübergang für die Franzosen erschwerte, weil dadurch die neu errichteten Schiffsbrücken über die Donauarme mehrmals unterbrochen wurden. Schon am ersten Tag der Schlacht war Aspern heiß umkämpft und wurde abwechselnd von Franzosen und Österreichern erstürmt. Essling hingegen, wo sich der französische Marschall Jean Lannes, ein enger Freund Napoleons, im Getreidespeicher verschanzt hatte, blieb in französischer Hand.

Der Bau der Pontonbrücke über die Donau, aus: A. de Laborde, Précis Historique de la Guerre entre la France et l´Autriche en 1809, Paris 1822. (Wienbibliothek im Rathaus, Druckschriftensammlung)

Detail der „Carte der Gegend um Wien nebst Plan der Bataille bei Asparn und Esling welche den 21ten und 22ten May 1809 daselbst vorgefallen". (© Wien Museum)

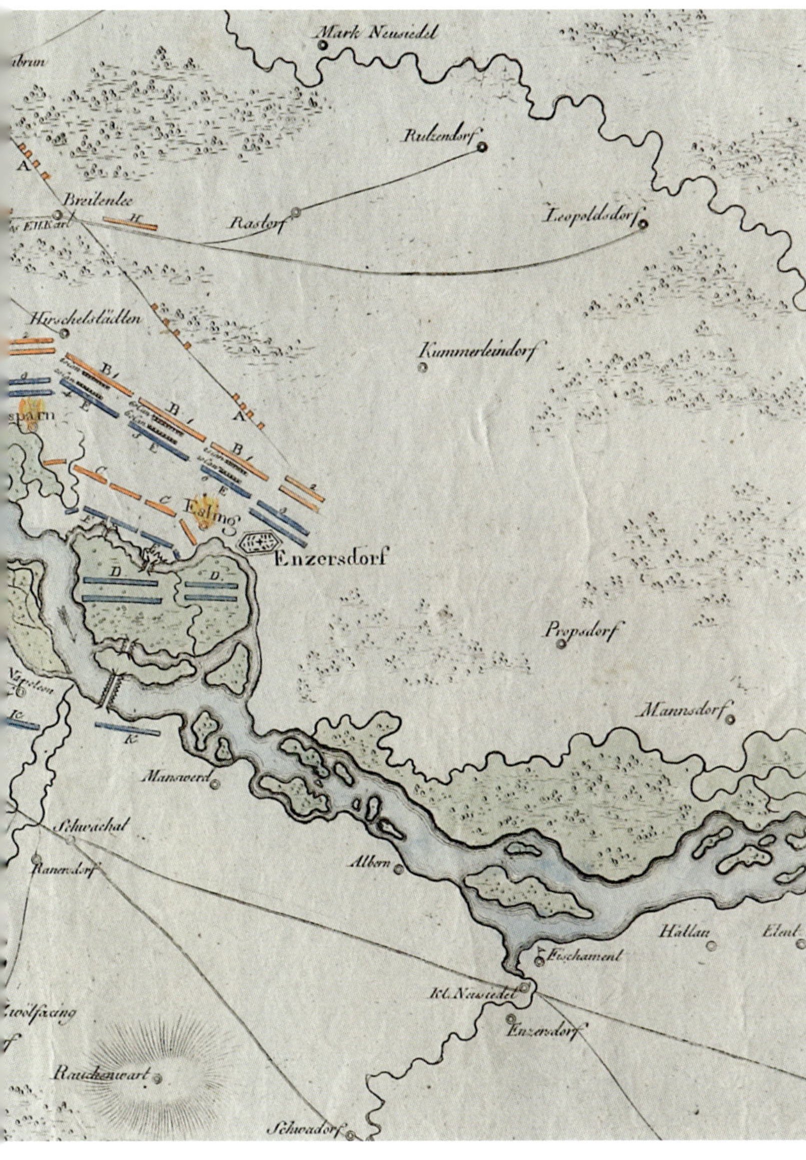

Rot: Österreichische Armee
Blau: Französische Armee

Erzherzog Karl war über die Transportschwierigkeiten der Franzosen nicht informiert worden und daher im Glauben, bereits gegen die gesamte französische Armee gekämpft zu haben. Napoleon hatte am ersten Tag der Schlacht aber nur etwa 30.000 Mann, 9.300 Reiter und 70 Geschütze zur Verfügung. Der Erzherzog erwartete nun, Napoleon werde sich auf die Lobau zurückziehen, aber dies geschah nicht. Als Karl dies später in der folgenden Nacht erkannte, wartete er die Dämmerung ab, um eine neue zielführende Strategie zu entwerfen. Am 22. Mai wurde der Höhepunkt der Schlacht erreicht. Die Franzosen verfügten nun, durch die allmählich nachgerückten Korps, über ca. 67.000 Mann, etwa 10.000 Reiter und 152 Geschütze. Aspern stand aufgrund seiner stra-

Österreichische Infanterie erstürmt den Kirchhof von Aspern. Kupferstich von A. Pucherna nach einer Zeichnung von F. v. Habermann. (Österreichische Nationalbibliothek Wien, Bildarchiv)

tegischen Bedeutung weiterhin im Brennpunkt der Kampfhandlungen und wechselte auch im Lauf des zweiten Kampftages mehrmals den Besitzer, bis es sich um 13 Uhr schließlich endgültig wieder im Besitz der Österreicher befand. Die Ortschaft war dabei fast vollständig zerstört worden. Essling konnte hingegen durch die Österreicher nicht gänzlich eingenommen werden, da sich die Franzosen weiterhin im Schüttkasten verschanzten. Die Kämpfe hatten sich aber für die Truppen Napoleons als derart verlustreich erwiesen, dass dieser am Nachmittag gegen 16 Uhr trotz seines Erfolges bei Essling die Angriffe einstellen ließ, um sich, ohne aufgerieben zu werden, mit seiner Armee aus dem Marchfeld zurückziehen zu können. Ein weiterer Anlass für diese Entscheidung war, dass ein von den Österreichern abgelassenes Schiff die französische Pontonbrücke massiv beschädigt hatte und so der Nachschub der Franzosen endgültig zusammengebrochen war.

S. S.-O.

Angriff französischer Kürassiere auf die österreichische Kavallerie. Kupferstich von A. Pucherna nach einer Zeichnung von F. v. Habermann. (Österreichische Nationalbibliothek Wien, Bildarchiv)

Was danach geschah

Karl verzichtete darauf, die Truppen Napoleons zu verfolgen, obwohl ihm dies angeraten worden war, denn er war überzeugt von der Verhandlungsbereitschaft der Franzosen. So erhielt Napoleon die Gelegenheit, sich auf das Südufer der Donau zurückzuziehen. Er konnte seine Streitkräfte (vor allem seine italienische Armee) sammeln. Sodann baute er die Lobau mithilfe von umfangreichen Schanzwerken als stark befestigtes Heerlager aus und ließ eine feste Brücke über die Donau schlagen. Diese überquerte er im Juli 1809, um die Österreicher in der Schlacht bei Wagram – der zweiten Marchfeldschlacht – entscheidend zu schlagen.

Die Verluste, darunter sind Verwundete, Tote und Gefangene zu verstehen, während der ersten Marchfeldschlacht waren gewaltig. Sie betrugen auf beiden Seiten rund 20.000 Mann. Die Franzosen verloren auffallend viele Offiziere, darunter einige der bedeutendsten Generäle, die zuvor Kriegsgeschichte geschrieben hatten. Einer der berühmtesten war Marschall Lannes. Auf österreichischer Seite war unter den hohen Offizieren nur der Tod von Feldmarschallleutnant Weber zu beklagen. Dies lässt darauf schließen, dass die französische Generalität sich damals mehr dem unmittelbaren Kampfgeschehen aussetzte als die österreichische.

Der Ausgang der Schlacht wurde zweifelsohne von beiden Kontrahenten nicht als befriedigend angesehen, die Bedeutung des Sieges von Aspern lag aber in seiner psychologischen Dimension. Es war erstmals gelungen, ein von Napoleon persönlich geführtes Heer zu Lande zu besiegen! Bonaparte war sich der Bedeutung dieser Niederlage durchaus bewusst und betonte selbst wiederholt die Geschicklichkeit und Tapferkeit der Österreicher. Die „offizielle Version" der Franzosen lautete jedoch – deutlich verharmlosend und in Anspielung auf das Donauhochwasser –, „General Danube" habe den Sieg verhindert. Es ist auch bezeichnend, dass diese Schlacht in der französischen Geschichtsschreibung als „Schlacht von Essling"

Links: Heroisierende Darstellung von „Erzherzog Karl mit seinem Stab in der Schlacht von Aspern 1809", Gemälde von J. P. Krafft. (Heeresgeschichtliches Museum, Wien)

firmiert, war es doch den Franzosen gelungen, den Esslinger Schüttkasten bis zuletzt zu halten.

Die Besatzung von Wien dauerte volle sechs Monate an, nämlich bis zum Abschluss des Friedensvertrages von Schönbrunn am 14. Oktober 1809. Die unmittelbaren Folgen der französischen Militärherrschaft waren die sofortige Entwaffnung der Landwehrbataillone sowie eine strenge Ahndung allen Widerstandes. Napoleon hatte zudem – allerdings vergeblich – versucht, durch einen Aufruf die Ungarn zum Abfall von Österreich zu bewegen. Weitere dramatische Begleiterscheinungen der Besatzung waren massive Einquartierungen, Requirierungen sowie die Errichtung zahlreicher französischer Militärlazarette. Dadurch begann die Stadt nach einiger Zeit auch stark unter einer allgemeinen Nahrungsmittelknappheit zu leiden. Es kam darüber hinaus zu Spionage und sogar zu organisiertem Kunstraub. Ein eigener Kommissär war beauftragt worden, Kunstschätze aus den kaiserlichen Sammlungen nach Frankreich zu bringen.

Der endgültige Sieg und der Friede von Schönbrunn brachten Napoleon I. einen zweifachen Erfolg: seine erneute Bestätigung als Feldherr und die Gelegenheit, durch Heirat mit Erzherzogin Marie Louise von Österreich (1. April 1810), der Tochter Franz I., seinen Thron auch vor dem europäischen Hochadel zu legitimieren. Die Geburt ihres gemeinsamen Sohnes, der den Titel „König von Rom“ erhielt, schien zusätzlich seine Dynastie zu sichern. Österreich musste erneut massive Gebietsverluste in Kauf nehmen. Mit Dalmatien, Zentralkroatien, der Krain und dem Küstenland (Istrien, Görz, Triest), Salzburg und dem Innviertel ging fast die Hälfte seiner Erbländer verloren. Überdies wurden die Habsburger gezwungen, der antibritischen Kontinentalsperre (einem europaweiten Handelsboykott) beizutreten. Das Heer musste auf 150.000 Mann reduziert werden, ein Militärbündnis zwischen Frankreich und Österreich wurde geschlossen.

Als zusätzliche Demütigung für die Österreicher sprengte Napoleons Armee bei ihrem Abzug insgesamt fünf Bastionen, und zwar die Kärntnerbastion, die Burgbastion, die Löblbastion, die Mölkerbastion sowie die Elendbastion, dazu noch die Ravelins in diesen Bereichen sowie Teile der Kurtinen beim Burgtor und beim Schottentor.

Die Situation in Aspern und Essling nach der Schlacht war verheerend. Beide Dörfer waren vollständig niedergebrannt. Die Bevölkerung war schon vor der Schlacht geflohen oder hatte sich in den Hauskellern versteckt. Die Ortschaft Aspern war vor der Schlacht ein prosperierender Ort mit 700 Einwohnern gewesen, der vorwiegend vom Getreideanbau lebte. 300 Personen verloren im Zusammenhang mit der Schlacht ihr Leben. Die völlig zerstörte Kirche und der Pfarrhof konnten erst 1814 vollständig wiederhergestellt werden. Im ersten Jahr nach den Kämpfen wurde Aspern von der Pfarre Groß-

Im Vordergrund die gesprengte Löblbastion, dahinter links das Palais Liechtenstein. „Le Palais du Prince Metternich en 1809", Aquarell von F. Jaschke. (© Wien Museum)

Enzersdorf betreut. Die umliegenden Felder waren ebenfalls verwüstet.

Um Seuchen zu vermeiden, begann man nach einer Schlacht normalerweise sogleich mit der Bestattung der Toten. Wenn möglich wurden Gefallene von den eigenen Truppen begraben und es war das Recht des Siegers, das Schlachtfeld zu plündern. Soldaten durchstreiften nach Beendigung der Kämpfe gruppenweise unter Aufsicht eines Offiziers das Schlachtfeld, um den Toten Kleidung, Waffen und Ausrüstung abzunehmen und sie anschließend in Massengräbern zu beerdigen. Im Fall der Schlacht von Aspern wurden die Aufräumungsarbeiten aber durch den erst allmählich vonstattengehenden Rückzug der Truppen vom Schlachtfeld und durch das noch bestehende Hochwasser erschwert und zogen sich daher über Wochen hin. Die letzten Gefallenen konnten erst Mitte Juni begraben werden. Zeitgenössische Schilderungen aus der Zeit zwischen den beiden Marchfeldschlachten beschwören dementsprechend grausige Szenarien herauf. Die ansässigen Bauern wurden von der österreichischen Armee „requiriert", also gezwungen, die Toten zu bestatten. Zunächst kamen sie dieser Aufforderung wohl nur zögerlich nach, denn es wird berichtet, dass teilweise die Gliedmaßen der notdürftig verscharrten Leichen noch aus der Erde hervorschauten. Daraufhin wurde ihnen befohlen, die Bestattungen ordnungsgemäß vorzunehmen. Darüber hinaus wurden Bettler – meist vertriebene Bauern –, die von den französischen Militärs in Wien aufgegriffen worden waren, gegen Bezahlung dazu verpflichtet, solche Dienste durchzuführen. Erzherzog Karl hatte bereits am Pfingstdienstag in Begleitung des Kaisers und der gesamten Generalität einen Ritt über das Schlachtfeld unternommen, auch mit dem Hintergedanken, die Schrecken des Krieges zu demonstrieren und den Weg für Friedensverhandlungen zu ebnen – allerdings vergeblich! S. S.-O.

Was von der Schlacht
im Boden verblieb …

V1/2016
V16/2010
o. Nr./2009
o. Nr./2009
o. Nr./2009
V5/2012
V12/2012
V100/2012
V8/2012
V7/2012
V11/2012
V4/2010
V15/2010
V1/2010
V2/2010
V33/2012
V3/2010
o. Nr./2009
V74/2010
V75/2010
V47/2013
V62/2013
V65/2013
V82/2013
V47/2009
V13/2010
Museen der Stadt Wien –
Stadtarchäologie
Plangrundlage/Datenquelle:
Stadt Wien – data.wien.gv.at

Die Gräber gefallener Soldaten

Während der neueren archäologischen Untersuchungen im Zuge der Errichtung der Seestadt Aspern konnte zwischen 2008 und 2016 eine Fläche von ca. 600.000 m² kontrolliert werden. Aus der Zeit der Napoleon-Schlacht wurden dabei neun Soldatengräber mit mindestens 86 Gefallenen sowie 17 Pferdegräber mit zumindest 21 Tieren aufgefunden. Zusammen mit den bislang bekannt gewordenen Altfunden beläuft sich somit die Zahl der Soldatengräber auf 24 (Mindestindividuenanzahl 205), jene der Pferdegräber auf 19 (Mindestindividuenanzahl 23). Diese vereinzelten Grabbefunde streuen nicht nur im Bereich der heutigen Seestadt, sondern rings um die Orte Aspern und Essling, wo sie seit jeher immer wieder als Zufallsfunde während verschiedener Bodeneingriffe ans Tageslicht kamen. Den zahlenmäßig größten Anteil an Schlachtrelikten stellen aber zweifellos die privaten Aufsammlungsfunde von Munition oder Waffen- und Ausrüstungsteilen dar. Solche Militaria kommen oft als verlorengegangene Einzelfunde oder als verstreutes bzw. verlagertes Fundgut im Ackerboden zutage, im Kontext der systematisch erfassten Gräber jedoch leider nur ausnahmsweise. Einen guten Überblick über Art und Menge solcher Funde erhält man in dem kleinen Museum am Asperner Heldenplatz und in seiner Außenstelle im Esslinger Schüttkasten.

Trotz ihres archäologisch jungen Alters sind die Skelettreste oft äußerst schlecht erhalten geblieben. Ihre Unvollständigkeit ist in erster Linie auf die extrem seichte Lage im unteren Humusbereich des Ackerbodens zurückzuführen, zumeist kamen sie bereits 30 bis 50 cm unter der heutigen Geländeoberfläche zum Vorschein! Sowohl die landwirtschaftliche Pflugtätigkeit als auch die Bodeneingriffe und Geländeplanierungen im Zuge des Flughafenbaues waren dafür ausschlaggebend, zusätzlich führte das Befahren des Geländes nicht selten zur extrem kleinteiligen Fragmentierung der verbliebenen Reste.

Links: Kartierung der 2009 bis 2016 auf dem Areal der Seestadt Aspern, Wien 22, aufgefundenen Gräber aus dem Jahr 1809.
● Soldaten. ● Pferde.

Unvermeidlich sind auch rezente Beschädigungen und Verluste, die dem maschinellen Oberbodenabtrag und den nicht immer idealen Bedingungen der Rettungsgrabungen zuzuschreiben sind. Neben sekundären Störungen ist aber auch denkbar, dass sich bereits unmittelbar vor oder während des Vergrabens einzelne Körperteile abgelöst hatten.

Aufgefundene Knochenreste wurden in früheren Jahren kurzerhand vor Ort wiederum vergraben (V3/2010).

Soldatengräber am Schlachtfeld? – Die zurückgelassenen Gefallenen

Die sterblichen Überreste zahlreicher gefallener Soldaten wurden nach der Schlacht regellos vor Ort bestattet und kamen im Zuge der Ausgrabungen in den unterschiedlichsten Formen ans Tageslicht. Zum einen gibt es massiv gestörte Bestattungen, bei welchen der anatomische Skelettverband mehr oder weniger durcheinander gebracht wurde. Zumeist handelt es sich dabei um originale (primäre) Bestattungen, die im Zuge späterer Geländeeingriffe angefahren, durchwühlt oder einfach nur verlagert wurden. Ein Sonderfall ist die schachtartige Grube V3/2010, in welcher offenbar zuvor eingesammelte Knochenreste als dichte Knochenpackung umgehend vor Ort wiederum vergraben wurden.

Es lassen sich aber auch innerhalb der ungestörten Grabbefunde verschiedenste Arten von Beisetzungen differenzieren: Echte Einzelgräber wurden scheinbar nur selten angelegt (V5/2012; Altfund 1979/80); zwei vermeintliche Fälle mit entsprechend kleiner und schmaler Grabgrube waren dann doch mit je einer Doppelbestattung belegt (V1/2010; V1/2016). Am weitaus häufigsten wurden Mehrfachbestattungen angetroffen, bei welchen eine „überschaubare" Anzahl von zwei bis etwa zehn Leichnamen vergraben worden waren. Insgesamt wurden bisher aber auch Teile zweier größerer Massengräber aufgedeckt, worin sich jeweils eine Mindestindividuenzahl von 12 Gefallenen, die auf 22 Personen hochgerechnet werden kann (V15/2010), bzw. 70 tote Soldaten befanden (Altfund 1979/80).

In den stets nur sehr seicht eingetieften Gruben (erhaltene Tiefe im Unterboden maximal 30 cm) erschienen die Leichname zumeist auf engstem Raum zusammengepfercht. Sie wurden regellos in Rücken-, Seiten- oder auch in Bauchlage vorgefunden. Häufig waren dabei verdreht-verworfene Körper-

Sichtlich zur letzten Ruhe geworfen, nicht gebettet, wurde dieser französische Soldat des 105. Linienregiments (V5/2012).

In der Doppelbestattung V1/2010 lagen die Toten übereinander in gegengleicher Richtung. Innerhalb des Schädels des oben Liegenden befand sich ein eisernes Kartätschengeschoß.

Die obere Skelettlage von Grab V33/2012, in dem auf 3,20 x 0,80 x 0,25 Metern zehn Skelette aufgedeckt wurden.

haltungen und verrenkte, abgewinkelte oder unregelmäßig überkreuzte Gliedmaßen zu beobachten. In den Mehrfachgräbern lagen die Toten des Öfteren in gegengesetzter Orientierung übereinander, wodurch sie sich raumsparender stapeln ließen.

Zusammenfassend kann man festhalten, dass die Verstorbenen offensichtlich hastig und achtlos in mit wenig Aufwand angelegte Gruben geworfen wurden. Aus archäologisch-gräberkundlicher Sicht handelt es sich dabei um Krisenbestattungen oder zugespitzter formuliert, um mehr oder weniger pietätlose, zweckmäßige Entsorgungen (Verlochungen). Die weitläufig verstreute und isolierte Lage der einzelnen Grabgruben legt nahe, dass die Toten unmittelbar auf dem Schlachtfeld bzw. an ihrem jeweiligen Sterbe- und Auffindungsort verscharrt wurden. Dabei handelt es sich wohl um die allerletzten zurückgelassenen Gefallenen, die nicht mehr zu den regulären Massengräbern auf den nahe gelegenen Friedhöfen abtransportiert werden konnten. Sei es, weil weitere kriegerische Scharmützel befürchtet wurden, sei es, weil bereits Verwesungsgeruch in der Luft lag und Seuchengefahr bestand.

Beiläufig wird in zeitgenössischen Beschreibungen die nur notdürftige und unzulängliche Bestattungsweise durch eiligst dazu genötigte Landbewohner, Tagelöhner oder Kriegsgefangene erwähnt. Dies soll mitunter zur Folge gehabt haben, dass einzelne Gliedmaßen oder Körperteile noch weiterhin aus der Erde ragten. Ein makabres Bild, das sich jedoch bei so manchen der archäologischen Befunde durchaus nachvollziehen lässt …

M. P.

Im nördlichen Teil von Grab V11/2012 wurden Skelette zumindest teilweise im anatomischen Verband vorgefunden, während der südliche Teil durch eine nachträgliche Bodenstörung durchwühlt worden war.

FF ASPERN 2012
J2
VII

In Bauch- und Rückenlage sowie übereinander in entgegengesetzter Orientierung in eine flache Grube eingebracht: vier gefallene Soldaten in Grab V4/2010.

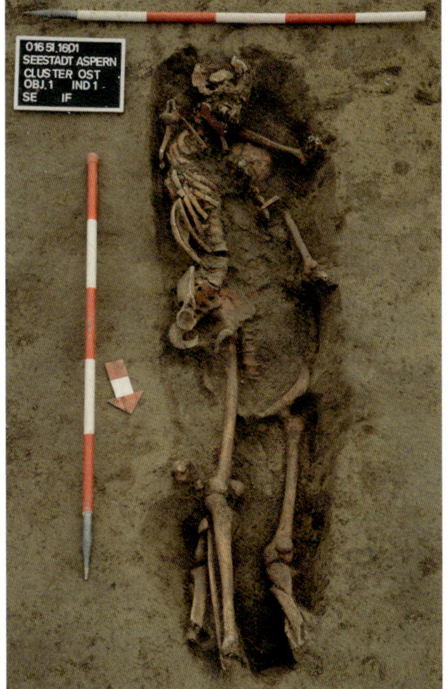

Oben: In dem gestörten Massengrab V15/2010 wurden nachweislich zwölf Soldaten bestattet. Aufgrund erhaltener Unterschenkel- und Fußknochen wird jedoch eine zweite, in Gegenrichtung ausgerichtete Lage an Bestatteten angenommen. **Unten:** Die Doppelbestattung V1/2016.

Uniform- und Ausrüstungsbestandteile

Lange Märsche und brutale Kämpfe hinterließen Spuren an der Montur und beschleunigten deren Verschleiß. Die Versorgung der Soldaten mit Bekleidung und Ausrüstung stellte daher ebenso wie die Verpflegung eine logistische Herausforderung dar, die von der österreichischen und französischen Armee unterschiedlich gemeistert wurde. In beiden Armeen stand äußerste Sparsamkeit bei der Ausstattung der gemeinen Soldaten den „modischen" Exzessen der Offiziere, die sich Uniformen auf eigene Kosten anfertigen ließen, gegenüber.

Die Adjustierung der österreichischen Armee

Am Ende des 18. Jahrhunderts waren die Soldaten der kaiserlichen und königlichen Armee schlecht gekleidet. Immer wieder betonten Vorschriften, dass die Mannschaft mit der nötigen Montur zu versehen sei und die Soldaten nur die nach der jeweils geltenden Adjustierungsverordnung angefertigte und an sie ausgegebene Montur und Ausrüstung verwenden dürften. Die Anschaffung von Monturstücken auf eigene Kosten war untersagt, der Zukauf eines dritten Hemdes wurde jedoch gestattet. In der Realität fehlte es am Nötigsten, die Uniformen befanden sich in keinem guten Zustand und die neu ausgegebene Montur zeichnete sich in erster Linie durch ihre geringe Qualität aus. So beklagte Erzherzog Karl im Mai 1796 unter anderem, dass die Schuhe der Soldaten oft nur Sohlen aus Pappendeckel hätten. Nachdem die Missstände nicht länger ignoriert werden konnten, begann sich 1797 eine Kommission mit der Sachlage zu beschäftigen. Das Ergebnis des Bestrebens nach einer Verbesserung und Vereinheitlichung der Uniformierung war die Adjustierungs-Verordnung des Jahres 1789. In einleitenden Worten forderte Kaiser Franz II. (I.) die höheren Ränge auf, dem Hang zu Moden und Aufputz zu entsagen, um Militärgeist und Subordination wiederherzustellen. Generäle und Stabsoffiziere sollten mit gutem Beispiel voran-

Links: Zerschlissene Kleidung und von Einheitlichkeit keine Spur: abmarschbereite österreichische Soldaten, 1797. Gemälde von J. B. Seele (1774–1814), Avancer des Autrichiens. (Heeresgeschichtliches Museum, Wien)

gehen, sich selbst nach der Militärvorschrift einfach kleiden und „[...] das Willkürliche und Übertriebene in dem Anzug der subalternen Offiziere [...]“ nicht länger dulden. In den folgenden Jahren erfuhr die Verordnung zahlreiche Ergänzungen und kleinere Abänderungen.

1801 wurde Erzherzog Karl zum Präsidenten des Hofkriegsrates ernannt, noch im selben Jahr übernahm er auch das Amt des Kriegs- und Marineministers. Seine Versuche, das Heerwesen zu reformieren, stießen jedoch zunächst auf Widerstand. Nach einem kurzen Intermezzo in Italien erhielt Erzherzog Karl 1806 den Oberbefehl über die Armee. Die daraufhin 1807 erschienenen Dienstreglements für Infanterie und Kavallerie umfassten Dienst- und Disziplinarvorschriften, Bestimmungen zu Verpflegung und Ausrüstung, Verhaltensregeln in Feld und Quartier sowie Anleitungen zur Pflege der Pferde. An die Offiziere, deren Uniformen ohnedies aus feineren Stoffqualitäten und in einem an den Körper angepassten Schnitt geschneidert waren, erging nochmals die Ermahnung, nichts zu übertreiben und der Uniform keine Verzierungen hinzuzufügen. Ein Offizier dürfe „[...] nie in dem kleinlichen Geschmack eines Gecken, oder mit der Neuerungssucht eines Weibes erscheinen.“ Den Stil der Zeit konnten die Uniformschnitte dennoch nicht verleugnen.

Die Adjustierung der Mannschaft wurde in den Monturdepots ausgefasst, die in den Zuständigkeitsbereich der Monturs-Commission bzw. Militär-Oekonomie-Commission fielen. In Kriegszeiten führte die Armee einen Monturvorrat im Tross mit. Uniformen standen unter Berücksichtigung des unterschiedlichen Körperbaus der Männer in mehreren Größen zur Verfügung. Passte ein Kleidungsstück dennoch nicht, durfte es keinesfalls kürzer oder enger gemacht werden. Die einzelnen Regimenter ließen sich anhand der Egalisierungsfarben an Kragen, Ärmelaufschlägen und Rockschößen unterscheiden. Ein weiteres Unterscheidungsmerkmal war die Farbe der einfachen, glatten Knöpfe. Regimentsnummern und Buchstaben zeigten nur die Knöpfe der Artillerie.

Die Grundausstattung der Infanterie (Grenadiere und Füsiliere) bestand gemäß Dienstreglement 1807 aus Grenadiermütze und -futteral, Grenadierhut, Helm und -quaste, ledernem Bindband, Roquelaur (Mantel), Röckel, Leibel (Gilet), Tuchhose (deutsche bzw. ungarische), Gatie (Unterhose), Hemd, Kittel, Gamaschen, Schuhen (deutschen bzw. ungarischen), rosshaarener Halsbinde mit Schnalle, Tornister aus Kalbfell, Patronentasche, Luntenverberger, Kartousche (hölzerner Behälter), Überschwungriemen mit Säbel- und/oder Bajonetttasche, diversen Riemen, ledernen Handschuhen, Mütze und Fäustlingen sowie einer Feldflasche und einem leinernen Brotsack. Die Helme wurden

Österreichische Armee. Deutsche Infanterie: links ein Füsilier (1798–1805), rechts ein Grenadier (1809). Aquarelle von R. von Ottenfeld. (Nach R. von Ottenfeld/O. Teuber, Die österreichische Armee von 1700 bis 1867; Österreichische Nationalbibliothek Wien, Bildarchiv)

ab 1806 langsam durch Tschakos ersetzt. Dazu kam die Bewaffnung.

Der bis zur Taille zugeknöpfte Rock der Infanterie war weiß. Er besaß einen Stehkragen und umgeschlagene, mit Egalisierungstuch besetzte vordere Schöße. Die Rückenschlitze zierten Vorstöße aus Egalisierungstuch. Die Leisten der schief eingeschnittenen Taschen trugen einen Knopf, je zwei weitere Knöpfe saßen an den aufgenähten geraden – bei der ungarischen Infanterie gespitzten – Ärmelaufschlägen. Schulterklappen verhinderten das Verrutschen des Riemenzeugs. Die weißen Hosen der deutschen Infanterie reichten eine Hand breit unter das Knie, später waren sie etwas länger und mit einem Steg anstatt mit Knöpfen versehen. Die langen Hosen

Österreichische Armee. Ungarische Infanterie: links ein Füsilier (1806), rechts ein Grenadier (1798–1805). Aquarelle von R. von Ottenfeld. (Nach R. von Ottenfeld/O. Teuber, Die österreichische Armee von 1700 bis 1867; Österreichische Nationalbibliothek Wien, Bildarchiv)

der ungarischen Infanterie waren lichtblau mit einer Verzierung aus schwarz-gelben Schnüren.

Auffällige Unterschiede in der Adjustierung gab es bei der Kavallerie. Am prächtigsten gekleidet waren die zur leichten Reiterei zählenden, blau oder grün uniformierten, ungarischen Husaren. Dolman, eine kurze Jacke, und Pelz, die über eine Schulter drapiert getragene Überjacke, wiesen Verschlussschlingen sowie eine reiche Verzierung aus schwarz-gelben Schnüren auf. Hinzu kamen jeweils ca. 38 Zierknöpfe und 15 Verschlussknöpfe, die „Oliven" – bei Offizieren konnten es jedoch weitaus mehr sein. Zur Ausstattung und Bewaffnung gehörten außerdem der Tschako mit Federbusch inklusive Futteral, Mantel, Leibgürtel, Tuchhose, Überzughose, Gatie (Unterhose), Hemd, Kittel, Halsflor, Stiefel, Sporen mit Nieten, lederne Handschuhe, Mütze und Fäustlinge, Portepee (Faustriemen), Säbelgehänge mit Taschen und Handriemen, Stockriemen, Mantelsack aus Tuch, Bandelier mit Haken (Lederriemen, an dem Ausrüstungsgegenstände befestigt waren), Riemen mit Ladstockhülse, Kartousche mit Deckel, Hufeisentasche, Packtornister aus Fell sowie Säbel und Schusswaffe. Die Pferdeausrüstung bestand aus Sattel mit Steigbügeln und diversen Gurten, Schabracke mit Sattelhaut aus Lammfell, Zaumzeug, Vorder- und Hinterzeug sowie Pferdedecke.

Im Vergleich dazu nahm sich die Montur der Dragoner und Chevaulegers, die weiße bzw. grüne Uniformröcke vorsah, geradezu schlicht aus. Die Kürassiere trugen als schwere Kavallerie im Feld den schwarz lackierten einteiligen Brustharnisch (Kürass) über einem weißen Rock, dessen Stehkragen mit Paroli versehen war und Egalisierungsstreifen auf den Schößen aufwies. Weiße Hosen, Stiefel und Helm komplettierten das Erscheinungsbild.

Artillerie, Jäger, Pioniere und die technischen Truppen hoben sich von Infanterie und Kavallerie in erster Linie durch

Österreichische Armee: Husar (1798–1806). Aquarell von R. von Ottenfeld. (Nach R. von Ottenfeld/O. Teuber, Die österreichische Armee von 1700 bis 1867; Österreichische Nationalbibliothek Wien, Bildarchiv)

Österreichische Armee: Kürassiere (1815) der deutschen Kavallerie. Aquarell von R. von Ottenfeld. (Nach R. von Ottenfeld/O. Teuber, Die österreichische Armee von 1700 bis 1867; Österreichische Nationalbibliothek Wien, Bildarchiv)

ihre Kopfbedeckungen und die Farbe der Röcke, fallweise auch der Hosen, ab.

Die Adjustierung der Armee Napoleons

Die Grundausstattung der französischen Soldaten umfasste das in dieser Zeit in den europäischen Armeen Übliche. Einer einheitlichen Uniformierung wurde bei den Franzosen trotz einzelner Reglements – eine vollständige Adjustierungsverordnung wurde erst 1812 veröffentlicht – jedoch weit weniger Bedeutung beigemessen, als dies bei der österreichischen Armee der Fall war. Variationen der Ausführung der Uniformen und ihres Beiwerks waren durchaus üblich und konnten das verfügbare Budget eines Regiments sowie die Vorlieben der leitenden Offiziere spiegeln. Allerdings überschritt der Bedarf an Montur und Ausrüstung zuweilen die Ressourcen der zu dieser Zeit größten Armee Europas. Darüber hinaus konnte das fern der Heimat kämpfende französische Heer nicht mit Nachschub aus den eigenen Depots rechnen. Es versorgte sich aus dem Land, in dem es sich aufhielt, und den Magazinen der besiegten Armeen. Der Verzicht, den Tross auch mit anderen Dingen als der Munition gut zu bestücken, bot zwar den Vorteil der größeren Schnelligkeit und Beweglichkeit des Heeres. In ärmeren Ländern mit wenig Infrastruktur und dünner Besiedlung hatte er jedoch katastrophale Folgen. Schließlich beschleunigten nicht nur die Gefechte, sondern auch die den Truppen abverlangten Gewaltmärsche den Verschleiß der Montur. Französische Soldaten mussten sich daher zeitweise mit einem schlechten Zustand der Uniformen, einem Mangel an bestimmten Monturteilen und dem Fehlen von Schuhen abfinden. Gelegentlich waren sie sogar gezwungen, sich notdürftig mit der Kleidung am Schlachtfeld gefallener Feinde auszustatten. Finanziell besser gestellte hohe Offiziere gönnten sich hingegen, wie ihre Kollegen von der österreichischen Armee, gut sitzende smarte Kleidung für den Dienst im Feld sowie prächtige Gala-Uniformen.

Das Erscheinungsbild der französischen Armee wurde in erster Linie durch die identitätsstiftenden (National-)Farben der Uniformen der Infanterie – Blau, Weiß und Rot – geprägt. Die vermutlich aufgrund eines Mangels an Indigo erfolgte Einführung von weißen Infanterie-Uniformen mit farbigen Egalisierungen blieb ein auf den Zeitraum von 1806 bis 1807 befristetes Experiment. Soldaten der Linieninfanterie trugen blaue Röcke mit weißen Rabatten (Brustaufschläge) und roten (Füsiliere, Grenadiere) oder gelben (Voltigeure) Krägen sowie roten Är-

Französische Armee: **1** Grenadier der Linieninfanterie. **2** Voltigeur der Linieninfanterie. **3** Karabinier der Leichten Infanterie. (Nach H. Bellangé, Die Soldaten der französischen Republik und des Kaiserreiches, Leipzig 1843; Wienbibliothek im Rathaus, Druckschriftensammlung)

melaufschlägen und Vorstößen. Die Röcke der Füsiliere hatten Schulterklappen. Voltigeure schmückten sich hingegen mit gelben oder grünen, Grenadiere mit roten Epauletten. Westen und Hosen waren weiß. Hinzu kamen schwarze oder weiße Gamaschen. Den Kopf bedeckte Zweispitz, Tschako oder Pelzmütze. Die Leichte Infanterie war an ihren blauen Röcken, Hosen und Westen zu erkennen. Die Krägen der Röcke waren rot, jene der Voltigeure gelb. Im Sommer wurden weiße Westen getragen. Die Gamaschen waren fallweise mit einer Quaste in der Farbe der Epauletten verziert.

Zur Unterscheidung der Regimenter dienten gold- oder silberfarbene Knöpfe mit Regimentsnummern und Tschakobleche, die im Lauf der Jahre mehrmals die Form wechselten.

Die französische Kavallerie war in Aspern in erster Linie durch die gefürchteten Kürassiere, unterstützt von den beiden Regimentern Karabiniers sowie den Jägern zu Pferde (Chasseurs à cheval) vertreten.

Zum Schutz vor Kugeln trugen die Kürassiere den zweiteiligen Kürass aus Stahl mit Krausen, die das Scheuern am Rock verhinderten, und einen reich geschmückten Stahlhelm. Ihr Rock war blau mit Kragen, Ärmelaufschlägen und Schößen in der Regimentsfarbe. Hinzu kamen rote Epauletten und als Abzeichen eine flammende Granate auf den Rockschößen. Weiße Weste, helle Lederhose und Stiefel komplettierten das Ensemble. Auf dem Marsch und im Feld konnten entlang der Seitennaht geknöpfte Überhosen getragen werden. Der Uniformrock der Karabiniers war blau mit roten Rabatten und Ärmelaufschlägen. Erst 1809 erhielten sie den doppelten Kürass, der mit Kupfer beschichtet war. Ein Helm mit Augen- und Nackenschirm sowie einem Kamm mit roter Raupe aus Rosshaar ersetzte die hohe Bärenfellmütze. Der nun himmelblau egalisierte weiße Rock besaß keine Rabatten. Die grün gekleideten Jäger zu Pferde trugen ursprünglich einen Dolman

Rechts: Französische Armee: Kürassier. (Nach H. Bellangé, Die Soldaten der französischen Republik und des Kaiserreiches, Leipzig 1843; Wienbibliothek im Rathaus, Druckschriftensammlung)

nach Husarenart, der durch den Rock mit langen Schößen und später dem Westenrock mit kurzen Schößen ersetzt wurde. Auch bei den Jägern wurden die Regimenter durch Farben unterschieden. Die grüne Hose mit Tressenbesatz in Form eines ungarischen Knotens oder Piks wurde im Feld durch eine Überhose geschützt. Als Kopfbedeckung diente der Tschako, bei den Elitetruppen der Kolpak. Die Dragoner hatten ebenfalls einen dunkelgrünen Rock, jedoch eine weiße Weste und Hose. Den Helm zierten Seehundfell und ein schwarzer Rossschweif. Die französischen Husaren beeindruckten mit ihrem aufwändig gestalteten Dolman und Pelz.

Die Uniformen von Artillerie und Ingenieuren variierten die Grundschnitte und -farben auf vielfältige Art. Für die Rabatten der Röcke von Ingenieuren wurde sogar schwarzer Samt verwendet.

Die Funde aus den 2009 bis 2016 aufgedeckten Gräbern

Von der Bekleidung und Ausrüstung der Soldaten hat sich in den von der Stadtarchäologie Wien freigelegten Gräbern der bei Aspern und Essling Gefallenen nur wenig erhalten. Dafür kommen mehrere Gründe infrage. Schlachtfelder wurden in der Regel abgeräumt. Waffen, noch brauchbare Ausrüstungsgegenstände und Kleidungsstücke wurden eingesammelt. Vermutlich nahm man auch wiederverwertbares Metall mit, dies würde die geringe Anzahl der in Gräbern gefundenen Mantel-, Rock- und Westenknöpfe erklären. Bis zur Beerdigung der Gefallenen konnten Tage verstreichen, damit bot sich ein Zeitfenster für Plünderungen. Zur Überführung der Leichen in die nächstgelegenen Friedhöfe oder der Bestattung vor Ort wurden fallweise Bürger der umliegenden Gemeinden beordert. Aufgesammelte Waffen mussten abgeliefert werden, andernfalls drohte die Todesstrafe. Ein Großteil der trotz dieser Aktivitäten in den Boden gelangten Objekte, vor allem jene aus organischen Materialien, verging durch ungünstige Lagerungsbedingungen. Zu guter Letzt ist es eine Tatsache, dass seit der Erfindung des Metallsuchgerätes „Sondengänger“ den auf einstigen Schlachtfeldern verbliebenen Bestand an Gegenständen aus Metall dezimieren.

Die schlussendlich für eine archäologische Auswertung zur Verfügung stehenden Reste von Uniformen und Ausrüstungsgegenständen erfordern detektivische Arbeit, um ihnen Hinweise zur materiellen Kultur der Soldaten zu entlocken. Bild- und Schriftquellen sowie Museumsexponate vermitteln in der Regel Idealvorstellungen. Die aus Gräbern stammenden Fragmente der bereits Spuren von Verschleiß zeigenden Ausrüstung gemeiner Soldaten sind von diesen jedoch weit entfernt. Fragen nach der Zugehörigkeit zur österreichischen oder französischen Armee bleiben zumeist offen, wenn Erkennungszeichen wie z. B. Tschakobleche oder Knöpfe mit Regimentsnummern fehlen. Uniformschnitte lassen sich anhand kleiner Stoffreste kaum rekonstruieren und die einst leuchtenden Egalisierungsfarben sind durch die Lagerung im Boden bis zur Unkenntlichkeit verfärbt. Dennoch gibt es manchmal Indizien, die eine Zuweisung zu der einen oder anderen Armee nahelegen. Erschwerend kommt hinzu, dass es auf den Schauplätzen von Kampfhandlungen zur Vermischung von Objekten der sich gegenüberstehenden Armeen kam. Diese konnten während der Bestattung der Gefallenen in die Grabgruben gelangen. In einer Situation, die wegen der Seuchengefahr rasches Handeln erforderte, ist auch nicht auszuschließen, dass Kontrahenten, dort, wo sie fielen, zusammen bestattet wurden.

Allen Widrigkeiten zum Trotz geben die spärlichen Funde aus den 2009 bis 2016 untersuchten Gräbern bei analytischer Betrachtung Informationen preis, die sich in einen militär- und kulturhistorischen Kontext setzen lassen.

Als verhältnismäßig ergiebig erwies sich das – leider nicht mehr vollständig erhalten aufgefundene – **Massengrab V15/2010**. In einer Grube von geringer Tiefe lagen dicht gepackt die Skelette von mindestens zwölf Individuen. Eine zweite, in Gegenrichtung ausgerichtete Lage an Bestatteten kann aufgrund erhaltener Unterschenkel- und Fußknochen angenommen werden. Die teilweise starke Durchmischung der Skelettteile legt nahe, dass es auch bei den Textilresten und rund 60 metallenen Kleidungsbestandteilen zu Verlagerungen kam. Ihre Zuweisung zu bestimmten Individuen ist daher nur in wenigen Ausnahmefällen möglich. Charakteristische Verzierungen und Uniformdetails legen durch den Vergleich mit Bildquellen jedoch nahe, dass zumindest einige der Bestatteten Gefallene der österreichischen Armee waren.

Von der Bekleidung der Soldaten blieben rund 180 kleine bis daumennagelgroße Stofffragmente erhalten. Es handelt sich fast ausschließlich um gewalktes Tuch aus Schafwolle in Leinwandbindung, also um Reste der Oberbekleidung. Hemden und Unterhosen wurden hingegen aus Leinen, Kittel aus Zwilch (einem festen, mit doppeltem Faden gewebten Stoff, meist Leinen) geschneidert. In Summe überwiegt der Eindruck, dass die Kleidungsstücke wenig sorgfältig gemacht waren, mit Material sparsam umgegangen und für die Herstellung möglichst wenig Zeit aufgewandt wurde. Anzahl und Größe der Fragmente sind zu gering, um Schnitte zu rekonstruieren. Sie geben jedoch Hinweise auf Konstruktionsdetails. So lässt sich feststellen, dass die erhaltenen Schnittkanten zumeist nicht geendelt sind und das Obermaterial auch als Futterstoff diente. Dies entsprach durchaus den Gepflogenheiten der Zeit und ist auch an zivilen Männerröcken festzustellen. Als Hinweis auf die Verwendung von Leinwand als Futterstoff kann das Fragment einer Innentasche, in der sich sogar noch eine Münze befand, gewertet werden.

Auf einigen Stoffstücken haften Schollen einer schwarzen, brüchigen Substanz, in die vereinzelt Reste eines groben Gewebes eingebettet sind. Wie die chemische Untersuchung* zeigte, handelt es sich um Rückstände eines Pflanzengummis, der mit Pfeifenton verdickt gewesen zu sein scheint. Die holzähnlichen Strukturen der Fasern geben das Gewebe als grobfasrigen, wahrscheinlich aus Lindenholz hergestellten Baststoff zu erkennen. Er dürfte als eine ursprünglich zwischen Oberstoff und Futter eingeklebte Verstärkung im Vorderteil des Kleidungsstückes gedient haben. Da durch die Verwendung des Klebstoffs das – bei hochwertigen Jacken noch heute übliche – zeitaufwendige Einnähen der Einlage entfiel, konnten die Stückkosten gesenkt werden bzw. ließ sich die Produktion beschleunigen. Dieses Bestreben liegt möglicherweise auch einer der beiden nachgewiesenen Konstruktionen von Knopfleisten zugrunde. Anstatt die Knöpfe anzunähen, wurden sie durch einen kleinen Einschnitt im Oberstoff gesteckt und auf der Rückseite mit einem durch die Ösen gezo-

* Für die Materialanalysen gilt mein Dank DI Dr. Robert Linke und den MitarbeiterInnen des Naturwissenschaftlichen Labors, Abteilung für Konservierung und Restaurierung, Bundesdenkmalamt.

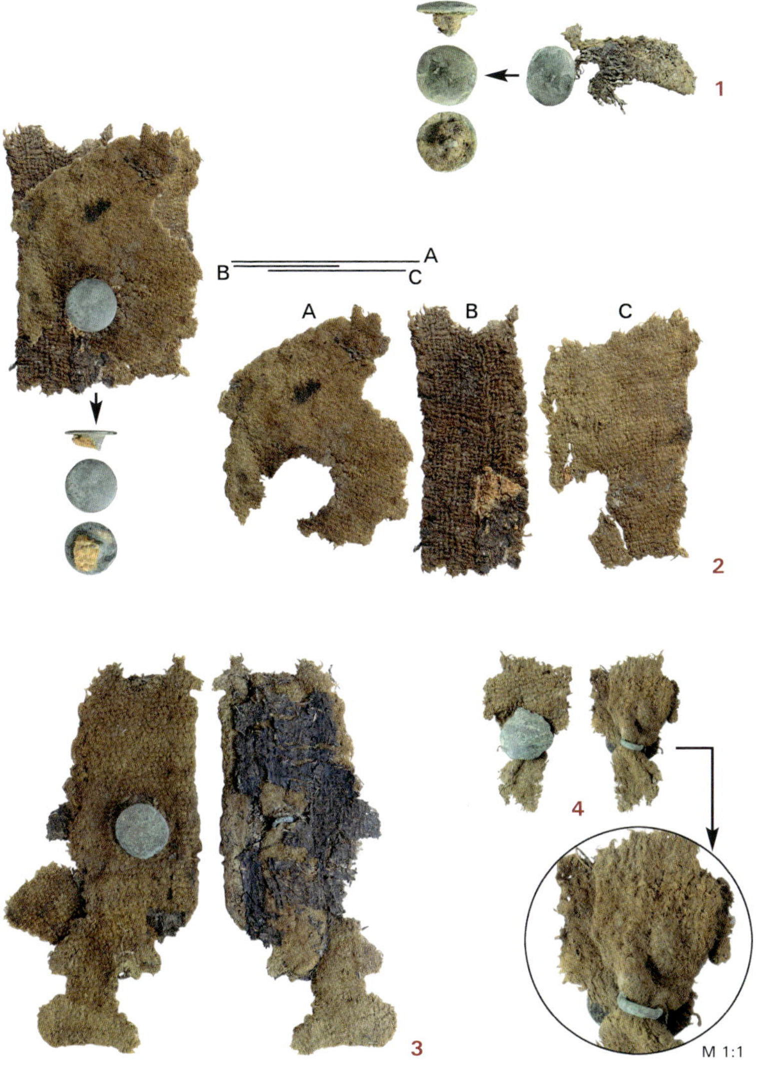

Massengrab V15/2010: Knopfleisten. **1** Angenähter Knopf. **2** Mit einem Band verstärkte Knopfleiste. **3, 4** Durch den Oberstoff gesteckte und mit einem durch die Ösen gezogenen Filzstreifen fixierte Knöpfe. Als Klebstoff dienender Pflanzengummi sorgte für zusätzlichen Halt.

genen, gewebten Band oder Filzstreifen fixiert. Vertrauter erscheint die Verstärkung der Knopfleiste mit einem zwischen Oberstoff und Futter liegenden, überwendlich angenähten Band. Die Befestigung der Knöpfe konnte an diesen Fragmenten nicht mehr nachvollzogen werden, vermutlich waren sie angenäht. Der Pfeifenton könnte übrigens auch vom Reinigen/Weißen der Uniformen, die anschließen gebürstet und geklopft wurden, herrühren.

Ein bei Skelett I aufgefundener Erdklumpen gab Reste der Halsbinde und der Hals-/Schulterpartie eines Uniformrocks preis. Von der Halsbinde blieben der rückwärtige Teil des Bandes aus schwarzem Rosshaar und der Verstärkung aus Filz sowie die Schnalle, mit der sie im Nacken geschlossen wurde, erhalten. Die zwei Reihen Nahtlöcher stammen von der Befestigung des ledernen Schnallenläppchens. Der außen vollflächig aus Egalisierungstuch gearbeitete Stehkragen und die

Massengrab V15/2010: **1, 2** Reste einer Halsbinde, Außenseite aus Rosshaar, Versteifung. **3** Halsbindenschnalle. **4, 5** Schulterklappe mit Knopf.

Massengrab V15/2010: Stehkragen eines Uniformrocks mit Egalisierung und Flickungen. Die weißen Pfeile verweisen auf die Nähte der Flickungen.

mit einem Knopf versehene Schulterklappe entsprechen den Röcken der Infanteristen und Dragoner der österreichischen Armee. Auffällig ist die große rechteckige Flickung an der Innenseite des Kragens, deren vertikale Naht sich an der Schulter fortsetzt. Eine zweite, feiner ausgeführte Reparatur ist an anderer Stelle an der Kragenaußenseite auszumachen. Die Schulterklappe wirkt, als handle es sich um einen etwas unbeholfen angefertigten Ersatz. Den Nähten mangelt es an Präzision und der Schlingstich des Knopfloches ist geradezu stümperhaft ausgeführt. Schwang für diese Reparatur vielleicht ein Soldat selbst die Nadel? Immerhin ist im Dienstreglement für Infanteristen aus dem Jahr 1807 Folgendes zu lesen: „Sobald etwas an seiner Montur oder übrigen Sorten getrennt oder zerrissen ist, muß er es sogleich zunähen, größere Beschädigungen anzeigen, und jeden Schmutzfleck ausputzen, übrigens aber soll er stets nach der Vorschrift gekleidet seyn." Es konnten jedoch auch die Dienste von Professionisten in Anspruch genommen werden. Die für die Reparatur von Kleidung, Rüstung und Waffen anfallenden Kosten waren durch die Pauschgelder, zu denen die Flickspesen zählten, gedeckt. Diese für jeden Soldaten monatlich zur Verfügung stehende Summe Bargeld wurde in der Regel an die Compagnie- und Escadronskommandanten ausbezahlt, in deren Verantwortung es lag, Montur und Ausrüstung der Mannschaft in brauchbarem Zustand zu erhalten. Jedes Kleidungsstück hatte eine bestimmte „Dauerzeit", bei Röcken betrug diese zum Beispiel zwei Jahre und einen Monat. Nach deren Ablauf erfolgte der Austausch betroffener Bestandteile der Montur, nicht notwendigerweise gegen brandneue Stücke. Es wurde so lange geflickt, bis ein Kleidungsstück unbrauchbar war. Danach recycelte man die verwertbaren Reste. Aus alten Röcken wurden Leibel, Mützen und Fäustlinge geschneidert, aus abgetragenen Kitteln entstanden Brotsäcke.

Mehrere Textilfragmente mit einer Verzierung aus zweifarbiger Schnur können ebenfalls mit Uniformen der österreichischen Armee in Verbindung gebracht werden. Schwarz-gelbe Schnüre zierten sowohl die Hosen der ungarischen Infanterie als auch Dolman und Pelz der Husaren.

Einige mit Hafteln aus einer Kupferlegierung versehene Fragmente wurden zusammen mit einem Unterschenkelknochen (Skelett K) geborgen. Sie dürften daher von einer Tuchhose, wie sie Angehörige der ungarischen Regimenter trugen, stammen. Latz und Seitennähte dieser Hosen waren mit schwarz-gelben Schnüren besetzt. Um einen engen Sitz entlang der Unterschenkel zu gewährleisten, wurden die an dieser Stelle offenen Seitennähte mit jeweils sieben Paar Hafteln

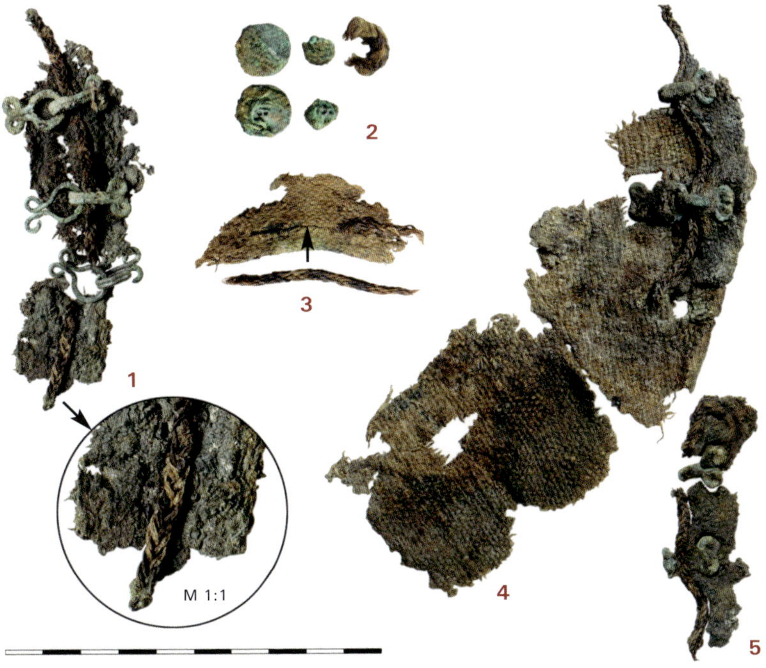

Massengrab V15/2010: Verschlüsse mit Hafteln und mit zweifarbiger Schnur verzierter Kante. **1–3** vermutlich vom Dolman. **4** und **5** vermutlich von der Hose eines ungarischen Infanteristen.

geschlossen. Franz Hübler (1770–1849), Beamter des Hofkriegsrats, beschrieb die Konstruktion des Verschlusses folgendermaßen: „Von den Waden abwärts sind an jeder Oeffnung des Fußes 7 Paar eiserner Hafteln dergestalt angenähet, dass die Haftelmännchen auf der äußeren Seite knapp über die an der Kante herab angenäheten Rundschnüre einwärts stehen, und die Weibchen auf solche Art fassen, daß sich die Hose an den Fuß anschließt." Bis auf das Material der Hafteln entsprechen die bei Skelett K gefundenen Fragmente dieser Beschreibung. Dass der mit den Hafteln ausgeübte Zug beträchtlich gewesen sein muss, belegt die wellenförmige Verformung der schnurbesetzten Kante – ein weiteres Indiz für die Zuweisung der Fragmente zu einer ungarischen Hose.

Schwieriger gestaltet sich die Verortung an einem Kleidungsstück bei einem in seiner Machart ähnlichen Fragment mit Hafteln und zweifarbiger Schnur. Das Fehlen einer wellig verzogenen Kante und die Lage unter dem Oberkörper von Skelett E legen nahe, dass es sich um den kümmerlichen Rest der Jacke eines Husaren handeln könnte. Der Dolman einer im Heeresgeschichtlichen Museum Wien ausgestellten Husarenuniform zeigt Hafteln an den Ärmelschlitzen. Franz Hübler erwähnt hingegen nur die Anbringung von Hafteln am Kragen und am unteren Ende der Knopfleiste.

Weitere Funde stammen vermutlich ebenfalls von einem Dolman. Unter Skelett H, einem Individuum in Bauchlage, lag ein Knopf, der noch in einer Schlinge aus zweifarbiger Schnur steckte. In der Nähe von Handknochen wurde ein winziges Fragment, an dessen Saumnaht ursprünglich eine zweifarbige Schnur verlief, aufgefunden.

Die Anzahl der aus dem Massengrab V15/2010 zutage gekommenen Knöpfe ist im Vergleich mit der bei mindestens zwölf Bestatteten zu erwartenden Menge gering. Mit Stoff überzogene Holzknöpfe, die zumeist als Hosenverschluss dienten, sowie die zahlreichen Lederknöpfe der Gamaschen fehlen im Fundmaterial, weil sich diese Werkstoffe im Boden nur unter besonders günstigen Lagerungsbedingungen erhalten.

Insgesamt konnten vier große Zinnknöpfe sowie zwei große und 42 kleine Knöpfe aus einer Kupferlegierung geborgen werden, davon 17 im Verband mit einem Textilrest. Rock und Gilet eines Infanteristen wiesen hingegen in der Regel zusammen bereits um die 26 Knöpfe aus Zinn oder Messing auf. Der Dolman eines Husaren brachte es allein– je nach Rang – auf weit über 15 Verschluss- und 38 Zierknöpfe aus Metall. Die Gefallenen kamen also mehrheitlich entweder bis auf die Unterwäsche entkleidet ins Grab oder der Großteil der Knöpfe wurde wegen ihres Materialwertes abgetrennt. Im Lebenszyklus der Montur war dies bei der österreichischen Armee duchaus gängige Praxis. Knöpfe aus Metall wurden nur beim ersten Ausfassen mit der Uniform ausgegeben. Im Zuge des Austauschs von Kleidungsstücken musste der Soldat sie abtrennen und auf das neue Monturteil aufnähen lassen. Auch von unbrauchbaren Monturs- und Lederwerks-Sorten mussten Knöpfe aus Zinn oder Messing abgeschnitten und an die Monturs-Comissionen abgeliefert werden.

Die erhaltenen glatten Scheibenknöpfe aus Metall sind verhältnismäßig grob gearbeitet und reichen in keiner Weise an die bereits Ende des 18. Jahrhunderts von Knopfherstellern wie Matthäus Rosthorn erzielte gleichmäßige Qualität und Feinheit heran. Nach Material und Machart lassen sie sich in vier Gruppen ordnen. Die großen, flachen Zinnknöpfe mit einfacher Öse wurden gegossen und dienten – vermutlich an einem Uniformrock – als Verschluss an der Brust. Die beiden großen Knöpfe aus einer Kupferlegierung besitzen angelötete Drahtösen, sie dürften ebenfalls am Vorderteil eines Kleidungsstückes angebracht gewesen sein. Hingegen saßen kleine Scheibenknöpfe paarweise an den Ärmelaufschlägen, einzeln an den Taschen des Uniformrocks. Auch als Verschluss des

Gilets fanden sie Verwendung. Die Exemplare mit angelöteter Öse aus rundstabigem Draht geben sich durch Unterschiede in Drahtstärke, Ansatz, Rundung und Platzierung der Öse als

Massengrab V15/2010: **1–3** Große gegossene Knöpfe aus Zinn. **4, 5** Große Knöpfe aus einer Kupferlegierung. **6–8** Kleine gegossene Knöpfe aus einer Kupferlegierung, auf der Rückseite neben der Öse der Buchstabe W.

Handarbeit zu erkennen. Einige Knöpfe weisen eine großzügige Menge an Lot auf, in dem sich in einem Fall sogar der Abdruck des Stäbchens, das die Öse während des Lötvorgangs in Position hielt, abzeichnet. Sechs kleine, gegossene Knöpfe besitzen eine als Platte ausgeführte, nachträglich gelochte Öse (Stegöse). An deren Basis ist bei drei Exemplaren der Buchsta-

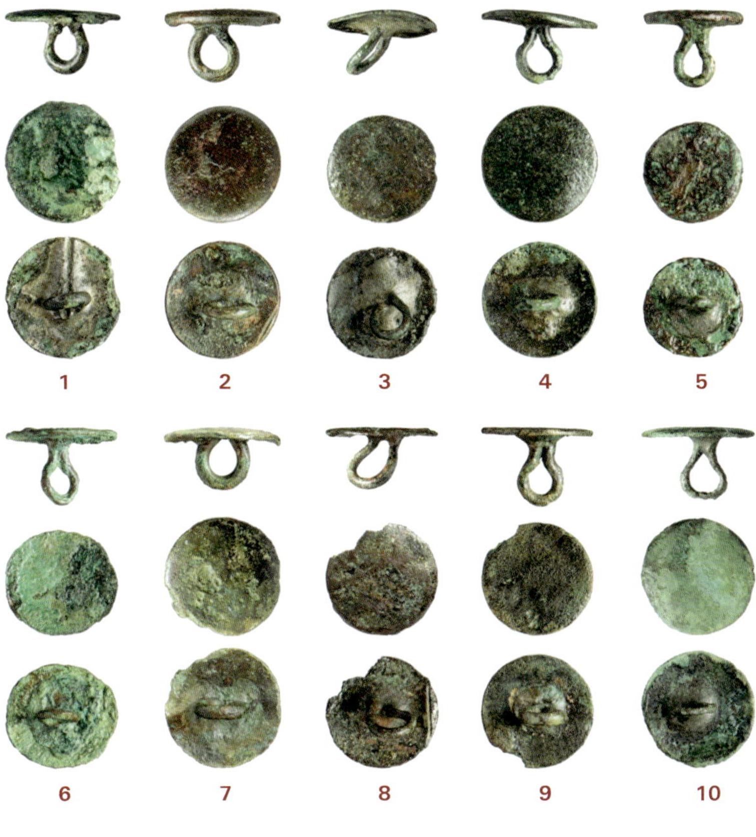

Massengrab V15/2010: **1–10** Kleine Knöpfe aus einer Kupferlegierung mit angelöteter Drahtöse. Auf Knopf 1 ist im Lot der Abdruck des Stäbchens, mit dem die Öse in ihrer Position gehalten wurde, zu sehen.

be W zu erkennen. Möglicherweise steht das W für den Produktionsort Wien. Als derartiger Verweis war es bis 1806 ein Bestandteil der Punzen für Silber. Es könnte sich dabei aber auch um ein Firmenzeichen handeln. Mangels eindeutig einem Hersteller zugewiesener Vergleichsstücke bleibt dies allerdings eine Vermutung. In Wien und Umgebung sind für die Zeit zwischen 1800 und 1810 drei Knopferzeuger, deren Nachname mit W beginnt, nachgewiesen. Gottfried Wilda besaß 1803 bereits ein k. k. Privileg und stellte Knöpfe aus Tombak sowie vergoldete, versilberte und plattierte Rock- und Westenknöpfe her. Eine, allerdings 1819 datierte Mustertafel im Technischen Museum Wien zeigt unter anderem auch vergleichbare, einfache Scheibenknöpfe. Seine Ware galt als qualitativ hochwertig. Franz Winkler erwarb 1803 die Knopffabrik der Gebrüder Hickmann in (Kaiser-)Ebersdorf und baute diese in den Folgejahren zu einem bedeutenden Unternehmen aus. Die Produktpalette der Metallwarenfabrik reichte von Knöpfen aller Art, darunter auch solche für das Militär, bis zu gepressten Möbelbeschlägen. Stephan von Kees stufte seine Knöpfe als ordinär und mittelfein ein. Schließlich stellte Joseph Weiß „Oehrlknöpfe" aus Messing, die er auch versilberte, her.

In dem Fragment einer Innentasche befand sich noch eine Münze. Es handelt sich um einen Kreuzer Franz II., der in Prag geprägt wurde. Ein Gemeiner Grenadier der österreichischen Infanterie erhielt im Krieg einen täglichen Lohn von sechs Kreuzern sowie einen Feldbeitrag in der Höhe von einem Kreuzer, ein Gemeiner Füsilier verdiente mit fünf Kreuzern und dem Feldbeitrag von einem Kreuzer etwas weniger. Hinzu kam eine tägliche Brotportion von 1¾ Pfund (umgerechnet rund 982 g), die – falls es kein Brot gab – mit zwei Kreuzern bar abgegolten werden konnte. Viel hätte der Soldat mit dem Geldstück also nicht kaufen können.

Als wesentlich weniger ergiebig erwiesen sich die Funde aus dem **Grab V4/2010**, in dem vier Gefallene bestattet waren. Lediglich zwei Zinnknöpfe, sechs kleine Knöpfe aus einer Kupferlegierung sowie eine abgebrochene Öse, ein eiserner Schuhnagel und ein eisernes Absatzeisen konnten geborgen werden. In Summe stehen damit nicht genug Hinweise zur Verfügung, um Aussagen über eine Armeezugehörigkeit zu treffen. Die glatten Knöpfe entsprechen jenen aus dem Massengrab V15/2010, auch ihnen fehlen die für Knöpfe der französischen Armee so typischen vierarmigen Ösen.

Die Versorgung mit Schuhen und deren schneller Verschleiß scheint generell ein Problem gewesen zu sein. Der französischen Armee mangelte es nicht erst während des berüchtig-

Ein Kreuzer und das Taschenfragment, in dem sich die Münze noch befand, aus dem Massengrab V15/2010.

ten Debakels in Russland an adäquater Fußbekleidung. Auf Feldzügen wurden lokale Handwerker mit der Anfertigung von Schuhen beauftragt, eroberte Städte zur Lieferung gezwungen oder man bediente sich im Bedarfsfall in den Magazinen feindlicher Armeen und auf dem Schlachtfeld. In der weitaus bürokratischer geführten österreichischen Armee galt, dass jeder Soldat zu allen Zeiten mit guten Schuhen versehen sein und im Krieg ein zweites, neues Paar Schuhe mit sich führen sollte. Das dürfte zwar gut gemeint, jedoch fern der Realität gewesen sein. Immerhin stand Angehörigen der k. k. Armee monatlich Sohlengeld zu, mit dem anfallende Reparaturen zu bezahlen waren. Die „Dauerzeit" ausgegebener Fußbekleidung betrug für die Schuhe der Infanteristen neun, in Kriegszeiten sechs Monate, die Stiefel von Husaren mussten zwei Jahre halten.

Um zumindest die Abnutzung zu verzögern, wurden in beiden Armeen die Sohlen der Schuhe von Fußtruppen mit zahlreichen eisernen Nägeln beschlagen. Wie der Fund aus Aspern zeigt, kamen aber auch Schuheisen zum Einsatz. Ob das vorliegende Exemplar an einem Schuh oder an einem Stiefel be-

Grab V4/2010: **1** Schuhnagel aus Eisen. **2** Zwei Ansichten eines verbogenen Absatzeisens.

festigt war, muss allerdings offenbleiben. Hufeisenartige Absatzbeschläge dürften beim Militär recht häufig gewesen sein, denn sie fanden zu Beginn des 19. Jahrhunderts auch Eingang in die Mode. Vor allem Dandies ließen mit großer Begeisterung kleine Hufeisen an ihren nach militärischen Vorbildern geschnittenen Stiefeln anbringen. In England war dieser Trend im Jahr 1807 offenbar so präsent, dass er Isaak Cruikshank zu seiner Karikatur „Shoeing asses. The Present Fashion of Making Boots Everlasting“ veranlasste.

„Shoeing asses“, Kupferstich nach Isaak Cruikshank, veröffentlicht von Laurie & Whittle, London 1807. (© The Trustees of the British Museum)

Insgesamt 28 stark korrodierte Zinnknöpfe, sieben Beinknöpfe, vier Stecknadeln und ein Haftel stammen aus dem **Grab V1/2010**, in dem die Skelette von zwei Gefallenen ruhten. Um Platz zu sparen, waren die beiden Toten Kopf an Fuß, also in entgegengesetzter Richtung, in die seichte Grube gelegt worden. Die Mehrzahl der schlecht erhaltenen zinnernen Scheibenknöpfe mit vierarmiger Öse fand sich im Bereich des Oberkörpers von Individuum 2. Die Lage von sieben Exemplaren entlang der linken Seite des Brustkorbs bis zur Schulter lässt noch ihre ursprüngliche Anbringung an der Rabatte eines Uniformrocks erahnen. Vier Knöpfe befanden sich in situ am linken Unterarm, waren also am Ärmelaufschlag des Rocks angenäht. Die Situation an der rechten Körperhälfte, auf der die Beine des zweiten Toten auflagen, ist durch das Nebeneinander von Zinn- und Beinknöpfen schwieriger zu interpretieren. Die kleinen, vierfach gelochten Beinknöpfe dürften als Verschluss einer von Individuum 1 getragenen Gamasche gedient

In Grab V1/2010 wurden zwei Soldaten der französischen Armee bestattet. Zinnknöpfe **(1–5)** mit der von einem Horn umrahmten Zahl 10 geben sie als Angehörige des 10. Regiments der Leichten Infanterie zu erkennen. Die Beinknöpfe **(6, 7)** verschlossen einen Hosenlatz. **8** Stecknadeln.

haben, da ihre Verwendung als Ersatz für Rockknöpfe aus Zinn wenig wahrscheinlich ist. In der gegenüberliegenden Hälfte des Grabes wurden insgesamt sechs Zinnknöpfe auf dem Kopf und am Brustkorb von Individuum 1 sowie zwei weitere in der Nähe der Fußknochen von Individuum 2 gefunden. Sie können als verlagerter Restbestand eines von Individuum 1 getragenen Rocks gedeutet werden. Auf einigen Zinnknöpfen ist noch die von einem Horn umgebene Zahl 10 zu erkennen. Es handelt sich daher bei den beiden Verstorbenen um Angehörige des 10. Leichten Infanterieregiments, das zum Korps Marschall Lannes (Division Saint Hilaire, Brigade Lorencez) zählte. Dass zumindest einer der Männer (Individuum 2) mit seiner Hose bestattet wurde, belegen zwei große, fünffach gelochte Beinknöpfe vom Hosenlatz. Im Bereich seines Knöchels wurden vier Stecknadeln entdeckt, darunter sogar eine vollständig erhaltene. Hatte der Soldat seine Füße mit Lappen umwickelt und deren Enden festgesteckt oder stammen die Stecknadeln gar von einem Wundverband?

Die fünf, bei den Handgelenken des Toten aus Befund V5/2012 gefundenen Knöpfe sind von hervorragender Qualität. Sie identifizieren den Soldaten als Angehörigen des 105. Regiments der französischen Linieninfanterie.

Aus dem **Einzelgrab V5/2012** konnten fünf Knöpfe aus Buntmetall mit Regimentsnummer geborgen werden. Die Lage von drei Exemplaren bei der linken und zwei Exemplaren bei der rechten Hand verrät, dass sie ursprünglich an den Ärmelaufschlägen eines Uniformrocks angebracht waren. Es handelt sich um Scheibenknöpfe mit vierarmiger Öse, deren Schauseite die von einem in Blättchen endenden Band umrahmte Zahl 105 zeigt. Damit geben sie den Toten als Soldaten des 105. Linienregiments der französischen Armee zu erkennen, das dem Korps Marschall Lannes (Division Saint Hilaire, Brigade Destabenrath) zugeordnet war. Das ebenfalls bei der linken Hand aufgefundene Fragment eines Häkchens dürfte als Verschluss des Hemdsärmels gedient haben.

Das **Grab V11/2012** mit den sterblichen Überresten von mehr als fünf Gefallenen war bereits durch frühere Eingriffe in den Boden gestört. Dadurch kam es zu einer Verlagerung von Knochen und Kleidungsbestandteilen, sodass die Funde keinem der Skelette eindeutig zugeordnet werden können. Knöp-

Funde aus Grab V11/2012. **1, 2** Gegossene Knöpfe aus Metall. **3** Beinerner Kern eines Zwirn- oder Stoffknopfes. **4** Beinknopf mit fünf Löchern. **5–8** Beinknöpfe mit vier Löchern.

fe belegen jedoch, dass zumindest einige der Bestatteten der französischen Armee angehörten. So trägt eines der beiden Fragmente von Zinnknöpfen die von einem Horn umrahmte Zahl 6. Der Knopf zierte also einst den Uniformrock eines Soldaten des 6. Regiments der Leichten Infanterie, die im Korps Marschall Lannes (Division Tharreau, Brigade Conroux) kämpfte. Ein Knopf mit der Darstellung von Kürass und Helm identifiziert seinen Träger als Mitglied des Corps du génie, des französischen Ingenieur-Korps, das im Notfall auch als Infanterie eingesetzt werden konnte. Vier unverzierte kleine Scheibenknöpfe gehörten vermutlich zum Verschluss eines Gilets. Die auf ihrer Rückseite über Platte und Öse verlaufende Gussnaht deutet auf eine dreiteilige Gussform hin.

Ungewöhnlich mutet der Scheibenknopf mit der eingeritzten Darstellung eines galoppierenden Pferdes an. Vergleich-

Funde aus Grab V11/2012. **1** Knopf von der Uniform eines Ingenieurs des französischen *Corps du génie.* **2** Zinnknopf des 6. Regiments der Leichten Infanterie der französischen Armee. **3** Knopf mit Darstellung eines Pferdes. **4** Schnalle.

bare Knöpfe sind aus Oberösterreich, Baden-Württemberg und aus Liechtenstein – vom Friedhof in Bendern und der Pfarrkirche in Mauren – bekannt geworden. Sie werden mit der bäuerlichen Tracht in Verbindung gebracht. Die beiden Liechtensteiner Ortschaften liegen in einem Gebiet, in dem 1799 und 1800 während des 2. Koalitionskrieges Kampfhandlungen zwischen der französischen und österreichischen Armee stattfanden. Es ist belegt, dass es mit der Ankunft der Franzosen unter anderem zu Plünderungen kam. Vielleicht gehörte der Knopf mit Pferdedarstellung zu einer geraubten Jacke, die einem Soldaten als Ersatz für den zerschlissenen Uniformrock diente? Es könnte aber auch sein, dass der Mann im Verbreitungsgebiet dieser Knöpfe rekrutiert worden war und wegen eines Mangels an Monturteilen in privater Kleidung in den Krieg zog. Aus dem Grab wurden außerdem drei fünffach und 21 vierfach gelochte Beinknöpfe geborgen. Ihre Oberseite ist zum Schutz des Fadens vertieft, die Kanten wurden zum leichteren Zuknöpfen gerundet. Das bei der Befestigung des Knopfes in der Regel ignorierte Mittelloch entstand bereits beim Drehen der Vorder- und Rückseite, die eigentlichen Löcher zum Annähen wurden in einem eigenen Arbeitsschritt gebohrt. Beinknöpfe scheinen vor allem bei den Franzosen be-

1

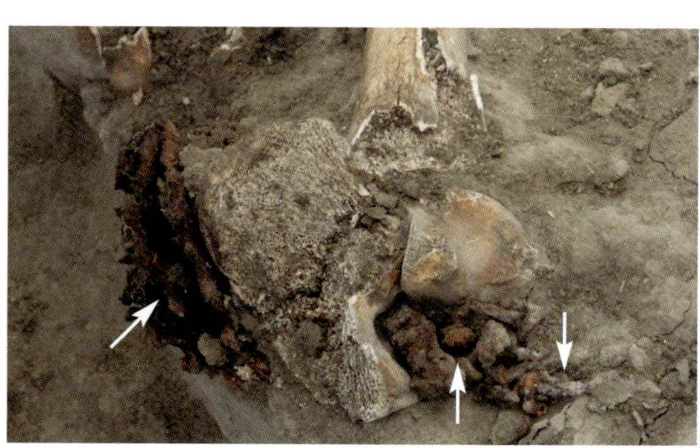

2

Massengrab V33/2012: **1** Sohlennagel aus Eisen. **2** Sohlennägel und Lederreste von einem Schuh in situ.

liebt gewesen zu sein. Zum Einsatz kamen sie bevorzugt als Verschlüsse von Hosen. Im Gegensatz zu metallenen Knöpfen rosteten Beinknöpfe trotz häufigen Waschens nicht, konnten daher den Stoff nicht verfärben. Bei weißen Hosen war dies sicher von Vorteil. Ein kleines Knochenscheibchen mit mittiger Lochung dürfte ursprünglich mit Zwirn umsponnen oder Stoff überzogen gewesen sein. In der österreichischen Armee wurden für Hosen mit Stoff überzogene Holzknöpfe, von denen im Boden nichts erhalten blieb, bevorzugt.

Die ovale Schnalle aus Buntmetall mit Eisendorn könnte von einem Bandelier stammen.

Obwohl im **Massengrab V33/2012** zehn Soldaten bestattet worden waren, konnten nur wenige Bestandteile von Uniformen geborgen werden. In erster Linie handelt es sich um Knöpfe aus Buntmetall und Bein, darunter ein Scheibenknopf mit einfacher Öse. Die zwei kleinen halbkugeligen Knöpfe er-

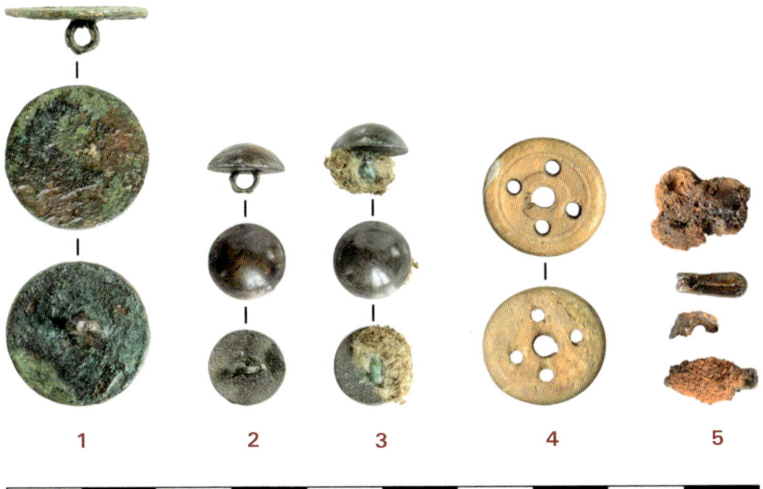

Massengrab V33/2012: **1** Scheibenknopf mit einfacher Öse. **2, 3** Gegossene, halbkugelige Knöpfe. **4** Beinknopf. **5** Fragmente von Hafteln aus Eisen.

innern an die zahlreichen Zierknöpfe an Dolman und Pelz der Husaren beider Armeen. Sie können jedoch auch von anderen Kleidungsstücken stammen. Ein fünffach gelochter Beinknopf, einige Haftelfragmente aus Eisen und eine Schnalle ergänzen das Fundspektrum. Sohlenreste mit Eisennägeln blieben von der Fußbekleidung eines Soldaten erhalten.

Die mit der **Doppelbestattung V1/2016** geborgenen Scheibenknöpfe aus Metall entsprechen in Form und Machart jenen aus dem Massengrab V15/2010. Es könnte sich daher um Verschlüsse von Uniformen der österreichischen Armee handeln. Insgesamt sind fünf gegossene Scheibenknöpfe mit einfacher Öse aus Zinn, 30 Scheibenknöpfe aus einer Kupferlegierung sowie vier Beinknöpfe erhalten geblieben. Die Zuordnung jedes einzelnen Knopfes zur Bekleidung des einen oder des anderen Soldaten ist trotz sorgfältiger Dokumentation bei der Ausgrabung nicht mehr eindeutig zu klären.

Doppelbestattung V1/2016: **1** Scheibenknopf aus Zinn mit einfacher Öse. **2**, **3** Scheibenknöpfe mit einfacher Öse aus einer Kupferlegierung. **4, 5** Beinknöpfe.

Offensichtlich kam es im Zuge des Zersetzungsprozesses der Leichen und nachfolgender Erdbewegungen durch Wasser oder Nagetiere zu Verlagerungen zumindest einiger Knöpfe – acht Exemplare kamen sogar innerhalb des Schädels von Individuum 2 zu liegen. Auffällig ist die Interpretationsspielraum bietende Mischung von „gelben" und „weißen" Knöpfen. In der Regel diente ihre Farbe zusammen mit der Abzeichenfarbe zur Unterscheidung der Regimenter. Drei der Zinnknöpfe befanden sich unter dem Becken des zuerst in die Grabgrube gebetteten Soldaten, es liegt daher nahe, seinem Rock auch die beiden im Bereich des Oberschenkels bzw. Brustkorbes des über ihm bestatteten Individuums aufgefundenen Zinnknöpfe zuzuordnen. Alle anderen Knöpfe müssten – bei sortenreiner Verarbeitung – in diesem Fall der Bekleidung des zweiten Gefallenen zugerechnet werden. Gehörten jedoch die beiden bei der Bergung dem zuoberst liegenden Toten zugewiesenen Zinnknöpfe tatsächlich zu dessen Uniform, dann könnte es sich bei den insgesamt fünf Exemplaren auch um einen notdürftigen Ersatz der „gelben" Gewandverschlüsse gehandelt haben. Die beiden Männer wären für ihren Einsatz also nicht nach Reglement adjustiert gewesen.

Ein einzigartiges Fundstück ist ein Ring, der noch an einem dislozierten Fingerknochen steckte. Es dürfte sich um einen Siegelring handeln, jedoch ist das auf der Platte eingeschnittene Motiv nicht mehr zu identifizieren. Vergleichbare Ringe stellten im bäuerlichen und bürgerlichen Milieu den gebräuchlichsten Schmuck von Männern dar, die sozial höher Stehende nachahmten. Ch. R.

Der Siegelring aus der Doppelbestattung V1/2016. Die kräftige Ausführung derartiger Plattenringe prädestinierte sie als Schlagwaffe, die bei Raufereien zum Einsatz kommen konnte.

Die Bewaffnung

Erzherzog Karl setzte schließlich auch die Reform der Bewaffnung der österreichischen Armee durch. Die neuen Handfeuerwaffen waren nicht nur leichter, sondern auch präziser. Die Infanterie erhielt das mit dem dreischneidigen Bajonett 197 cm lange, rund 5,2 kg schwere Gewehr M. 1798 mit einem Kaliber von 17˙6 mm. Von den Jägern waren jene, die gezielt schießen („tiraillieren") mussten, mit dem 105 cm langen, 4 kg schweren Jägerstutzen M. 1795, Kaliber 14˙5 mm, ausgestattet, die anderen mit dem Jägerkarabiner M. 1807. Als Blankwaffen dienten je nach Rang und Regimentszugehörigkeit Säbel oder Degen. Die Angehörigen der Reiterei benutzten Kavalleriepistolen oder Husaren- bzw. Dragonerkarabiner sowie Kavalleriestutzen. Darüber hinaus trug die deutsche Kavallerie den als Hieb- und Stichwaffe geeigneten Pallasch mit gerader, einschneidiger Klinge. Husaren schwangen den gebogenen Säbel.

Die Infanterie-Soldaten der Armee Napoleons mussten sich mit französischen Steinschlossgewehren des Baujahrs 1777 begnügen. Die 153 cm lange, rund 4,65 kg schwere Waffe mit einem Kaliber von 17˙5 mm war nur bis auf etwa 110 m treffsicher. Es wurde daher jede Gelegenheit genutzt, diese Gewehre durch erbeutete österreichische Handfeuerwaffen zu ersetzen. Karabiner und Pistolen sowie Säbel als Blankwaffe waren bei den Franzosen ebenfalls in Gebrauch.

Bleikugeln von Handfeuerwaffen in Originalgröße.

In den Gräbern fanden sich von den Schusswaffen nur deformierte und durch die Lagerung im Boden korrodierte Bleikugeln. Sie dürften in einigen Fällen noch im Körper des Soldaten steckend mit diesen begraben worden sein.

Die Artillerie beider Heere verschoss Kanonenkugeln aus Gusseisen oder Stein, Granaten und die gefürchteten Kartätschen. Von Letzteren stammen die vier gefundenen Eisenkugeln. Eine Kartätsche war nichts anderes als ein mit diesen Kugeln vollgestopfter Behälter, der sich nach dem Abfeuern zerlegte und seinen Inhalt wie eine Ladung Schrot verstreute. Die Wirkung erwies sich als besonders tödlich, wenn das Geschoss in flachem Winkel abgefeuert wurde und die knapp vor den Angreifern auf dem Boden auftreffenden einzelnen Kugeln noch Sprünge machten. Ch. R.

Bleikugeln von Handfeuerwaffen, Eisenkugeln von Kartätschen.

Ein napoleonisches Flintensteindepot im Schloss Neugebäude?

Das einstige Lustschloss Kaiser Maximilians II. (1527–1576) in Wien-Simmering gilt als einer der bedeutendsten Renaissancebauten dieser Art nördlich der Alpen, wurde aber schon bald von seinen Nachfolgern nicht mehr entsprechend geschätzt und genutzt, wodurch es lange Zeit in Vergessenheit geriet. Erst in den 1980er Jahren wurden verschiedene Initiativen zu seiner Erforschung und seiner Erhaltung gestartet, die jedoch bis heute erst teilweise veröffentlicht bzw. verwirklicht wurden. Nachdem hier bereits zuvor größere Terrain- bzw. Grabungsarbeiten stattgefunden hatten, konnten im Herbst 2002 aus einem aufgeworfenen Erdhaufen im sog. Löwenhof im Norden der Schlossanlage ca. 1,5 Tonnen ungebrauchter Flintensteine sichergestellt werden. Sie befinden sich nunmehr in der Lithothek des Instituts für Urgeschichte und Historische Archäologie (Universität Wien), einer Vergleichssammlung von Steinrohstoffen für geschlagene Steinartefakte.

Vor allem der gelbliche („blonde") Silex ist typisch für die französischen Flintensteine aus Meusnes (Dép. Loir-et-Cher).

Bei Flintensteinen handelt es sich um speziell zugerichtete Feuersteine, die bei den Steinschlossgewehren als Funkenlieferant für die Zündung beim Schussvorgang dienten. Solche Gewehre (Flinten) mit einem sog. Batterieschloss waren die Hauptwaffe der Infanterie zwischen 1650 und 1850. Qualitätsvolle Silexrohstoffe bzw. die Flintensteinproduktion selbst erlangten durch den massenhaften Gebrauch dieses Verschleißteils eine gewisse militärische und wirtschaftliche Bedeutung. Die österreichische Versorgung erfolgte ursprünglich über die europaweit marktbestimmenden französischen Produktionszentren, wurde aber in Kriegszeiten vom Konfliktgegner tunlichst unterbunden. Grundsätzlich war man auch aus ökonomischen und strategischen Gründen bestrebt, sich von solchen Abhängigkeiten zu lösen. Mit der Entdeckung und Ausbeutung geeigneter Vorkommen in Galizien und Podolien, den nordöstlichen Randgebieten der Monarchie, dürfte dies gegen Ende

Beispiele von ungebrauchten Flintensteinen.

des 18. Jahrhunderts wohl auch gelungen sein, zudem bezog man immer wieder auch nennenswerte Mengen aus italienischen Besitzungen nördlich von Verona (Monti Lessini).

Die im Neugebäude gefundenen Flintensteine weisen die typische französische Machart auf, wie sie exklusiv für militärische Verwendung bestimmt war. Die einzelnen Stücke wurden bei ihrer Herstellung von einer länglichen Klingengrundform abgetrennt und hufeisenförmig, mit einer flachen Zündkante zugerichtet. Einige wenige Stücke waren zusätzlich mit einem Futteral aus Bleiblech umgeben, nur diese wiesen auch Gebrauchsspuren auf. Üblicherweise wurden die Flintensteine mit einem Lederläppchen, oder im militärischen Gebrauch mitunter eben mit Bleiblechstreifen, im Hahn des Batterieschlosses festgeklemmt, um eine bessere Fixierung zu ermöglichen und ein Zersplittern des Steines zu verhindern.

Bislang scheint es so zu sein, dass wir hier einen vermischten Lagerbestand von Steinen verschiedener Größe und farblichem Aussehen, aber auch unterschiedlicher Provenienz vor uns haben. Allerdings wird der Hauptanteil vom honigfarbenen,

Beispiele von Flintensteinen mit einem Futteral aus Bleiblech.

glänzenden bis leicht transparenten Feuerstein ausgemacht, wie er für die Lagerstätten und das Produktionszentrum um Meusnes im südwestlichen Pariser Becken typisch ist. Zur gesicherten herkunftsmäßigen Bestimmung konnten mittlerweile geochemische Analysen an ausgewählten Steinen durchgeführt werden. Die Ergebnisse bestätigten diese Annahme und konnten zudem ein vermutetes galizisches Fundspektrum ausschließen.

Die Auffindung eines großen Flintensteinvorrates im Bereich des Neugebäudes an sich sollte nicht weiter verwundern, da es von der Zeit Maria Theresias an bis zum Jahr 1909 für militärische Zwecke genutzt wurde. Überraschenderweise fehlt nun aber offenbar gerade ein zu erwartender österreichischer (galizischer) Anteil in diesem Bestand, der typologisch als auch rohstofflich eindeutig französischer Provenienz ist! Eine Erklärung für diesen Umstand wäre die nachgewiesene Präsenz französischer Truppen 1809 in diesem Areal. Womöglich mussten sie die Flintensteine bei ihrem Abzug zurücklassen und vergruben dieses noch nutzbare Kriegsmaterial, um es nicht ohne weiteres den Gegnern anheimzugeben. M. P.

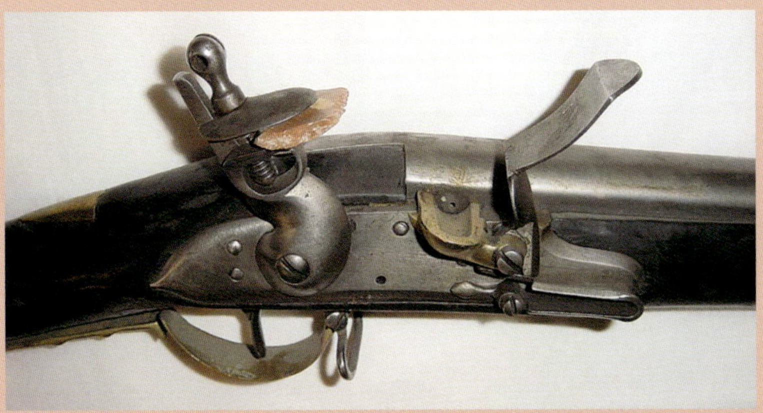

Batterieschloss eines Gewehres von 1798 mit einem zur Veranschaulichung eingespannten Flintenstein.

Die Pferde am Schlachtfeld

Einen gewissen Einblick in das damalige Geschehen können die Überreste von mindestens 15 Equiden (hier: Pferde oder Maultiere) geben, welche auf dem Schlachtfeld vergraben wurden. Allerdings hat die oberflächennahe Lagerung der Skelette die Knochen sehr zerstörungsanfällig werden lassen und damit etliche Aussagemöglichkeiten vereitelt. So ist es unmöglich, auf den Skelettelementen eindeutige Verletzungsspuren oder gar eine Todesursache zu erkennen. Es bleiben jedoch genug Informationen übrig, die über Alter, Geschlecht, Größe und Lebensbedingungen Auskunft geben können.

Die Tiere wurden einzeln oder zu mehreren begraben. Zwei wurden in derselben Grube in gegengleicher Lage, vier Individuen mit den Schädeln zueinander niedergelegt. Die Überlieferung der Skelette reicht von beinahe vollständig bis stark gestört. Teilweise sind nur Knochen vom Rumpf und rumpfnahe Teile der Beine, widrigstenfalls lediglich Einzelknochen vorhanden. Viele der Skelettelemente sind gut erhalten, bei manchen Teilskeletten sind sie aber außerordentlich komprimiert, sodass nur stabile Elemente wie Zehenknochen oder Zähne heil blieben.

Wie bereits erwähnt, sind Verwundungen oder eine Todesursache an den Knochen nicht zu erkennen. Nur ein Tier zeigt eine mögliche Spur einer Verletzung am Unterkiefer. Der Kieferteil und ein Backenzahn waren bereits vor der Bergung zumindest in einer halbrunden Form gebrochen, jedoch wird diese Zerstörung von ausschließlich frischen Brüchen begrenzt. Damit ist die Fraktur nicht mehr in ihrer ursprünglichen Form nachvollziehbar und kann nicht eindeutig als Knochenläsion zu Lebzeiten identifiziert werden.

Ausgeprägte Hinweise auf eine Kreuzungsform zwischen Pferd und Esel lassen sich auf den vorliegenden Knochen nicht ablesen. Es dürfte sich daher nur um Pferde gehandelt haben.

Links: Die Reste von vier Pferden (V7/2012), die gemeinsam beerdigt wurden. Kugeln von Kanonen und Musketen lassen die Todesursachen erahnen.

Gemäß dem Abkauungsgrad der Schneidezähne und dem Epiphysenschluss der Wirbelsäule entsprach das Alter der Tiere den seinerzeitigen Vorschriften für die Verwendung von Pferden zum Kriegsgebrauch in der k. u. k. österreichischen Armee. Sie standen mit sechs bis zehn, höchstens elf Jahren im besten Gebrauchsalter. Beckenformen und Eckzähne lassen tendenziell auf ein Überwiegen von Hengsten und Wallachen schließen. Nur zwei Individuen dürften Stuten gewesen sein.

Die ermittelten Widerristhöhen liegen zwischen 1,40 m und 1,70 m mit den meisten Messwerten im Bereich von 1,50 m bis 1,60 m. Die Berechnungen fallen zwar je nach Grundlage der verwendeten Faktoren etwas unterschiedlich aus, mittels mehrerer verwendbarer Langknochen kann die tatsächliche Größe einzelner Tiere jedoch recht gut umschrieben werden. Alle Pferde waren schlank bis mittelbeinig gebaut. Besonders die größeren Individuen waren extrem dünnbeinig. Die kleineren variierten mehr, sie waren aber keinesfalls dickbeinig. Dementsprechend handelte es sich sicher nicht um schwere Zugpferde, sondern um Tiere, die geritten wurden oder verschiedenartig genutzt werden konnten. Nach den Knochenproportionen zu schließen, wiesen die vorderen Gliedmaßen gute Laufeigenschaften, die Hinterbeine jedoch diesbezüglich

Skelett einer kleinen Stute, die vermutlich der französischen Armee angehörte (V75/2010).

eher ungünstige Verhältnisse auf. Weil Pferde aber im Kriegseinsatz nicht nur gut laufen können, sondern auch kräftig sein mussten, wurde beim Ankauf der Tiere für die Armee sicher auf beide Eigenschaften geachtet.

Nach Maßstäben der österreichischen Armee würde es sich aufgrund der Körpergrößen nur zu einem kleinen Teil um Pferde aus der Kavallerie handeln sondern vorwiegend um Reitpferde für Adjutanten und Unteroffiziere oder um Packpferde. Das mutet für einen Fundbereich unmittelbar an und zwischen den Fronten eher seltsam an. Hingegen befanden sich im Dienst der französischen Armee sehr wohl auch berittene Bewaffnete auf kleineren Pferden bis hin zu ponygroßen Tieren. In Anbetracht dessen könnten sich ebenso kleinere Individuen in der unmittelbaren Kampfzone aufgehalten haben. Allein an der Körpergröße und Wuchsform der Tiere gemessen, wäre es daher möglich, dass die Pferde vorwiegend aus der französischen Armee stammten. Allerdings liegt dies nur unter folgenden Annahmen nahe: Die Tiere waren Dienstpferde, die nach der Körpergröße reglementiert waren, sie befanden sich während des Kampfes unmittelbar an der Frontlinie und wurden an Ort und Stelle, wo sie starben, verscharrt.

Schlecht erhaltene Überreste eines großen Individuums, das als Reitpferd gedient haben könnte (V82/2013).

Zu beachten bleibt allerdings, dass in jenen Kriegen unterschiedlichste – auch berittene – Personengruppen den verfeindeten Parteien dienten. Pferde konnten darüber hinaus durch Überläufer, als Beute im Kampf oder durch Kriegsgewinn die Seiten wechseln. Deswegen sind Angaben zu einer Armeezugehörigkeit von Pferden in kriegerischen Auseinandersetzungen mit einigen Unsicherheiten belegt. Selbst wenn eine Todesursache eindeutig erkennbar wäre, könnte sie zudem durchaus auch aus den eigenen Reihen stammen, wie beispielsweise durch einen Gnadenschuss.

Umgestaltungen am Skelett als Reaktion auf körperliche Belastungen finden sich bei allen Tieren. Sowohl Veränderungen am Schädel und den Zähnen durch das Zaumzeug als auch eindeutige Überlastungserscheinungen der Knochen von Rumpf und Extremitäten lassen sich feststellen. Auf Unterkieferteilen sind knöcherne Zubildungen durch das Reiben und den Druck der Aufzäumung zu erkennen. Zähne wurden durch das Tra-

Durch die Trense des Zaumzeugs im vorderen Teil glatt geriebener erster Backenzahn eines Pferdes.

gen des Trensengebisses seitlich abgeschliffen. Bei einem Tier wurden die ersten Backenzähne dadurch geglättet und abgeschrägt, was einerseits auf ein unsachgemäßes Anlegen des Zaumzeugs und andererseits auf einen recht groben Umgang mit dem Pferd schließen lässt. Ein anderes Individuum zeigt Anzeichen eines „Krippensetzergebisses". Dies ist ein abnormer Verschleiß der Schneidezähne, der in Zusammenhang mit einer Verhaltensstörung steht, welche besonders bei Pferden mit einer hohen Leistungserwartung auftritt.

Sehr deutlich und vielfältig sind die Veränderungen an der Wirbelsäule. Sie umfassen Vergrößerungen der Gelenksflächen zwischen den Wirbeln sowie der Wirbel und Rippen, Asymmetrien ursprünglich symmetrischer Gelenke, abnorm große Gelenksspielräume, verbogene Dornfortsätze, beginnende Verwachsung von Wirbeln miteinander und Brüche der Wirbelendplatten. Diese Veränderungen weisen auf hohe, länger andauernde beziehungsweise plötzliche Belastungen des Rumpfes durch Zug-, Druck- und Scherkräfte hin.

An den Extremitätenknochen sind viele der Muskelansatzstellen und Gelenkflächen scharfkantig ausgeprägt bis vergrößert. Es gibt Hinweise auf Gelenksfehlstellungen und verdrehte Knochenachsen. Unterschiedliche Grade von Arthrosen und anderer degenerativer Gelenkserkrankungen sind erkennbar.

Die Pferde waren leistungsfähig, zeigten allerdings mehr oder weniger hohe Belastungserscheinungen durch das Tragen von Gewicht sowie durch Muskeleinsatz zur Kraftentwicklung und für Ausgleichsbewegungen.

Einige Personen pflegten offensichtlich einen sehr derben Umgang mit den Tieren. Es gibt auf den Knochen hingegen keine Anzeichen auf verheilte gröbere Verletzungen oder schwerere Erkrankungen. Solche Tiere wurden sicherlich vorzeitig ausgemustert, denn die Mannschaft musste sich auf ihre Pferde verlassen können. S. Cz.

Gut zu Huf?

Von den mindestens 23 bei Aspern bestatteten Pferden waren nur mehr bei drei bzw. sechs Skeletten Hufeisen vorhanden. Dies ist eine erstaunlich geringe Anzahl, wenn man bedenkt, wie viel Wert die Armee auf die Gesunderhaltung ihrer Pferde legte. Eine große Fülle von Vorgaben und Regeln, die sich auch mit der täglichen Kontrolle des Zustands der Hufe und ihres Beschlags beschäftigen, zeigt dies eindrucksvoll. Der Wunsch, die Pferde der Armee möglichst lange gesund und einsatzfähig zu erhalten, hatte schließlich die Gründung der ersten Tierarzneischule in Wien zur Folge.

Mögliche Gründe für das Fehlen des Beschlags sind vielfältig. Denkbar ist, dass die Hufeisen den Kadavern vor dem Vergraben abgenommen wurden, um sie wiederzuverwenden. Auch ist nicht auszuschließen, dass einige bereits vor dem Tod der Pferde verloren gegangen waren. Aufgrund der sehr seichten Lage der Gräber im Boden kann davon ausgegangen werden, dass es durch Ackertätigkeit, Sondengänger und die vor dem Beginn der Bauarbeiten stattfindende Kriegsmittelentschärfung zum Verlust von Hufeisen kam.

Ein Relikt aus unruhigen Zeiten in der Grube V75/2010 – ein Hintereisen (linker Bildabschnitt) an der Vorderhand.

Hufeisen, die am Beginn des 19. Jahrhunderts verwendet wurden, besaßen eine schlanke, sichelförmige Form, die im Bereich der Zehe etwas verdickt und Richtung Strahl schmäler ausläuft. In den Hufbeschlagbüchern sind es vor allem die deutschen Eisen, deren Enden nach unten umgebogen sind, um als eine Art Stollen zu fungieren. An den Hintereisen wurde eine Zehenkappe angeschmiedet, die für einen besseren Halt sorgen sollte. Vorder- und Hintereisen unterscheiden sich nicht nur durch ihre Form, sondern auch durch die Lage der Nagellöcher. Die Nagelung der Vordereisen beginnt bei den Zehen. Die Nagelung der Hintereisen lässt den vordersten Bereich aus und reicht dafür weiter nach hinten. Üblicherweise verwendete man jeweils acht Nägel pro Eisen. Auch die Nägel selbst unterscheiden sich. Französische Hufschmiede verwendeten Nägel mit hohen würfelförmigen Köpfen. Ihre im deutschsprachigen Raum ansässigen Kollegen nutzten solche mit sehr flachen, viereckigen Köpfen.

Das Pferdeskelett aus Befund V82/2013 wurde bei seiner Bergung jeweils noch mit einem Hufeisen an der Vorder- und

Ein Hintereisen mit Zehenkappe (oben) und ein Vordereisen (unten) mit stark aufgewölbtem Zehenbereich (V7/2012).

Hinterhand gefunden. Das Vordereisen war im Gegensatz zum Hintereisen relativ neu, ein großer Teil der Nägel aber bereits bis zum Beginn des Nagelschaftes abgelaufen. Die Form des Eisens und die Art der Nagelköpfe legen nahe, dass das Vordereisen von einem französischen Hufschmied gefertigt wurde. Vom Hintereisen ist nur mehr eine dünne Platte mit dem Ansatz einer Zehenkappe erhalten. Die fehlende Aufwölbung der Platte im Fersen- und Zehenbereich deutet an, dass dieses Eisen eher von einem Hufschmied stammt, der im zentraleuropäischen Raum ausgebildet wurde. Dieser Befund zeigt, dass in den Feldschmieden nur die verloren gegangenen Nägel ersetzt werden konnten.

In der Grube V7/2012 sind vier Pferde bestattet worden. Im Erdmaterial lagen auch zwei Hufeisen, ohne dass festgestellt werden konnte, zu welchem Pferd sie ursprünglich gehört hatten. Beide Eisen sind relativ wenig abgelaufen, während die Nägel in allen Stadien der Abnutzung vorhanden sind.

Bei dem Pferd aus der Grube V75/2010 sind immerhin drei Hufeisen erhalten geblieben. Alle Nägel sind fast bis zu ihren Schäften abgelaufen. Die Eisen sind an der Zehe und auch im gegenüberliegenden Bereich aufgebogen. Sie dürften ursprünglich von einem französischen Hufschmied geschmiedet worden sein. Vorder- und Hintereisen befinden sich in zwei von drei Fällen nicht an ihrem anatomisch richtigen Ort. So wurde an der rechten Vorderhand ein Hintereisen angebracht und an der rechten Hinterhand ein Eisen, das ursprünglich für die linke Vorderhand gedacht war.

Zusammenfassend lässt sich feststellen, dass von den sieben Hufeisen sechs ursprünglich von einem französischen Hufschmied gefertigt wurden. Nägel dürften, sofern sich das aus dem stark reduzierten Bestand noch erkennen lässt, aus den Beständen beider Kriegsparteien verwendet worden sein.

S. J.-W.

Soldatenschicksale

Leben und Tod in den Napoleonischen Kriegen

Der Gesundheitszustand von Soldaten kann maßgeblich zu Erfolg oder Misserfolg einer Armee in Feldzügen beitragen. Die Geschichte ist voll von Beispielen, in welchen der Ausgang ganzer Feldzüge durch Krankheiten und Seuchen wesentlich stärker beeinflusst war als von den Kampfhandlungen selbst. Obwohl die Erkenntnis, dass Gesundheit und militärisches Gesundheitswesen zentrale Elemente in der Schaffung einer erfolgreichen Armee darstellen, bereits eine wichtige Position in den Reformbemühungen Maria Theresias und Josephs II. Mitte des 18. Jahrhunderts einnahm, waren die angestrebten Maßnahmen auch zu Beginn des 19. Jahrhunderts noch nicht entsprechend durchgesetzt worden. Schenkt man historischen Aufzeichnungen Glauben, waren die hygienischen und gesundheitlichen Zustände während der Feldzüge katastrophal und die Schlachten selbst trugen oft nur einen geringen Teil zur allgemeinen Sterblichkeit bei. Tragischstes Beispiel aus der Zeit der Napoleonischen Kriege ist wohl der Russlandfeldzug Napoleons 1812. Von ursprünglich 600.000 Mann fanden 400.000 durch Krankheiten, hauptsächlich Typhus, in weniger als einem Jahr den Tod. Geschwächt durch Unterernährung, körperliche Anstrengung, aber auch die psychische Belastung während der langen Märsche quer durch Europa, waren die Männer anfälliger für alle Arten von Krankheitserregern und natürlich auch weit entfernt von ausreichender körperlicher Fitness, um sich erfolgreich in Schlachten und Belagerungen behaupten zu können.

Obwohl es zahlreiche schriftliche Zeugnisse über die Ereignisse und Zustände während der Napoleonischen Kriege gibt, darf nicht außer Acht gelassen werden, dass diese sehr oft aus Propaganda- und anderen Zwecken gefärbt wurden und daher nur selten die harte Realität für die überwiegende Mehrheit der Armeen widerspiegeln. Oftmals konzentrieren sich die Beschreibungen auch auf historisch bedeutende Einzelpersonen oder heroische Taten, während die Schicksale der

Links: Individuum 2 aus dem 2016 freigelegten Doppelgrab V1/2016 in situ.

einfachen Soldaten, die die Hauptlast der Feldzüge zu tragen hatten, in völlige Vergessenheit gerieten. Genau hier setzt die bioarchäologische Untersuchung an, denn die direktesten und oft auch einzigen uns zur Verfügung stehenden Quellen über die Zustände und Lebensbedingungen in den historischen Armeen sind die Bestattungen der Soldaten, die im Zuge von Kriegshandlungen oder auf Feldzügen fielen. Deren Geschichten basierend auf den Spuren an ihren Knochen zu erzählen, war Ziel der im Folgenden präsentierten wissenschaftlichen Untersuchung, die zwischen 2009 und 2016 durchgeführt wurde.

Menschliche Überreste als Quelle zur Rekonstruktion der Vergangenheit

Menschliche Skelettreste sind nicht nur Zeugen des Todes eines Menschen, sondern bergen auch eine Fülle von Informationen über sein oder ihr Leben. Formmerkmale erlauben eine Bestimmung des Geschlechtes, Abnutzungserscheinungen, Größe und Ausbildungsgrad von Knochen ermöglichen die Feststellung des Sterbealters und Veränderungen an den Knochenoberflächen zeugen von Krankheiten und Verletzungen. Sie können so einen Einblick in Gesundheitszustand und Lebensbedingungen eines Menschen in der Vergangenheit geben. Mit neuen naturwissenschaftlichen Analysemethoden können aber auch Aspekte wie Ernährung, Herkunftsort und Verwandtschaftsverhältnisse sehr detailliert untersucht werden.

Um mehr über das Leben und den Tod der Soldaten, die auf dem Schlachtfeld von Aspern standen, herauszufinden, wurden die menschlichen Skelettreste, die während der Ausgrabungen der Stadtarchäologie Wien geborgen wurden, einer systematischen wissenschaftlichen Untersuchung unterzogen. Dazu wurden folgende Parameter an den Knochen erhoben:

- Geschlecht und Sterbealter

- Körperhöhe
- Gesundheitszustand der Zähne (Karies, Zahnstein, Parodontitis, Abszessbildung, Zahnausfall zu Lebzeiten)
- Anzeichen von Infektionskrankheiten (Knochenneubildung oder -abbau am Skelett) und Mangelernährung (Schmelzhypoplasien, Hinweise auf Skorbut oder Rachitis)
- Degenerative Gelenksveränderungen
- Verletzungen

Die Rekonstruktion des Gesundheitszustandes eines Menschen aufgrund seines Skelettes ist jedoch nicht so einfach zu bewerkstelligen. Generell basieren Studien dieser Art auf der Tatsache, dass das Skelett wie jedes andere Organ im Körper auf bestimmte Krankheitsreize in Form von Knochenneubildung, Knochenabbau, Abweichungen in Knochengröße oder -form reagieren kann. Da Umbauprozesse am Skelett jedoch nur sehr

Leslie Quade bei der Untersuchung von Skelettresten aus Aspern im Bioarchäologie-Labor des Österreichischen Archäologischen Instituts in Wien.

langsam vor sich gehen, spiegeln sich lediglich chronische Krankheiten wider, während beispielsweise viele Seuchenerkrankungen wie Pest, Cholera oder Pocken unsichtbar bleiben. Von Letzteren können nur mikroskopisch kleine Spuren in Form der DNA ihrer Erreger an den Knochen erhalten bleiben. Diese lassen sich ebenfalls durch wissenschaftliche Untersuchungen identifizieren, die jedoch nur selten durchgeführt werden, weil sie nach wie vor sehr kostspielig sind. Eine weitere Schwierigkeit in der Diagnose von Krankheiten an menschlichen Skelettresten liegt in der Tatsache, dass die Möglichkeiten des Skeletts auf einen krankhaften Reiz zu reagieren, nur sehr begrenzt sind. Daher sind die entstehenden Veränderungen sehr ähnlich, obwohl die Ursachen gänzlich unterschiedlich sein können. Oft bleibt lediglich die Möglichkeit, eine Knochenneubildung oder eine andere pathologische Veränderung als unspezifisches Anzeichen einer Krankheit zu bezeichnen.

Degenerative Veränderungen oder Osteoarthritis an den Gelenken lassen sich hingegen relativ eindeutig diagnostizieren. Bei regelmäßiger Belastung kommt es zu einer Abnützung des Gelenks, das mit Knochenneubildung an den Gelenksrändern und später Oberflächenveränderungen an den Gelenksflächen selbst reagiert. Diese sind unzweifelhaft an den Knochen sichtbar und daher ein guter Marker, um Arbeitsleistung und körperliche Belastung in der Vergangenheit zu untersuchen. Auch Verletzungen, insbesondere Knochenbrüche, gehören zu den sehr häufig an Skeletten festzustellenden pathologischen Veränderungen, da sie am Knochen deutliche Spuren hinterlassen können. Sobald nach einem Bruch die Heilung einsetzt, wird neuer Knochen gebildet, um den Spalt zwischen den zwei Bruchstücken zu überbrücken. Bei unzureichender Stabilisierung wachsen diese jedoch nicht entlang der ursprünglichen Knochenachse, sondern schief zusammen, wobei der entstehende „Kallus“ (neugebildete Knochen) oft sehr groß und unförmig sein kann. M. B./L. Qu.

Krankheiten und Mangelernährung

Wie eingangs bereits erwähnt, speichert das Skelett Episoden von Mangelernährung oder chronischen Krankheiten, die im Laufe des Lebens durchlebt wurden. Obwohl eine zeitliche Einordnung dieser Phasen oft nicht möglich ist, lassen sich zumindest solche, die bereits im Kindesalter erlitten wurden, deutlich nachweisen. So liefern die Skelette der Gefallenen von Aspern nicht nur einen Einblick in das Leben während der Feldzüge, sondern auch in die Lebensbedingungen der sozialen Schichten, aus denen sich einfache Soldaten während der Napoleonischen Kriege rekrutierten. Der wichtigste Marker hierzu sind die „linearen Schmelzhypoplasien" (LEH). Dabei handelt es sich um Wachstumsdefekte im Zahnschmelz, die durch physiologischen Stress, also Mangelernährung und/oder chronische Erkrankungen, ausgelöst werden. Eine genaue Identifikation der Ursache ist jedoch nicht möglich, daher gelten diese Defekte lediglich als unspezifische Marker von negativen Umwelteinflüssen. Zumeist manifestieren sich

Lineare Schmelzhypoplasien (Pfeile) am Eckzahn eines Soldaten.

diese in Form von horizontal verlaufenden Rillen oder Furchen an den Zahnkronen. Solche Schmelzdefekte waren bei fast allen Soldaten festzustellen. In allen Epochen der Geschichte bis in die Gegenwart ist davon auszugehen, dass sich das Gros der Armeen, die einfachen Fußsoldaten, aus den unteren sozialen Schichten rekrutierte. Der Militärdienst wurde oft als Ausweg aus Knechtschaft, Arbeitslosigkeit oder der harten Realität bäuerlicher Lebensweise gesehen, funktionierte aber auch als soziales Ventil, um unliebsame oder unproduktive Untertanen „sinnvoll" einzusetzen. Dies gilt insbesondere für die großen Kriege der Neuzeit, in denen der Mannschaftsbedarf aufgrund der hohen Sterblichkeitsraten bei weitem die Anzahl der Freiwilligen überstieg. Aus historischen Quellen ist bekannt, dass die Lebensbedingungen für die einfache Bevölkerung am Ende des 18. Jahrhunderts generell nicht einfach waren. Die Städte Europas verzeichneten rasch anwachsende Bevölkerungszahlen und damit einhergehende Armut, Mangelernährung, Platznot, schlechte hygienische Bedingungen und das häufige Auftreten von Infektionskrankheiten. Die Flucht in die Städte war neben allgemein schwierigen Lebensumständen vor allem bedingt durch Naturkatastrophen und Klimaschwankungen, die im späten 18. Jahrhundert überall in Europa zu Missernten und in weiterer Folge Hungerkrisen führten.

An zwei Soldaten waren auch Anzeichen von chronischem Vitamin-D-Mangel (Rachitis) im Kindesalter festzustellen. Vitamin D spielt eine wichtige Rolle bei der Einlagerung von Kalzium in den Knochen. Kommt es zu einem längeren Mangel während des Knochenwachstums, entstehen charakteristische Deformationen an Langknochen, Schädel und/oder Rippen. Letztere waren auch unter den Asperner Soldaten zu bemerken. Ursache von Rachitis ist nicht ein nahrungsbedingter Mangel, sondern fehlendes Sonnenlicht, da UV-Strahlung für die Umwandlung von Vitamin D im Körper benötigt wird. Große Häufigkeiten unter Kindern der frühen Neuzeit lassen sich unter anderem dadurch erklären, dass besonders kleine Kinder oft über lange Phasen in den Häusern eingesperrt waren, während die Eltern zur Arbeit gingen.

Diese Verhältnisse spiegeln sich zumindest teilweise auch in den Skeletten der bei Aspern gefallenen Soldaten wider. Ein weiterer Marker für einen schlechten Gesundheitszustand und/oder Mangelernährung im Kindesalter ist die Körperhöhe eines Erwachsenen. Obwohl Knochenwachstum grundsätzlich genetisch bedingt ist, ist dieser Prozess stark anfällig für negative äußere Einflüsse. Tritt in der Wachstumsphase ein Nährstoffmangel oder eine längere chronische Krankheit auf, kann der Knochen das vollständige Wachstumspotential oft nicht ausschöpfen – eine geringe Körperhöhe ist die Folge. Unter den Asperner Soldaten waren Wachstumsdefizite jedoch nicht festzustellen. Im Gegenteil, die durchschnittliche Körperhöhe betrug 172,5 cm, was deutlich über dem Durchschnitt der normalen Bevölkerung gelegen haben dürfte. Dies ist jedoch nicht als Zeichen dafür zu werten, dass die Soldaten unter guten Lebensbedingungen aufgewachsen waren. Einerseits gab es in beiden Armeen Größenvorgaben und eine gewisse Bevorzugung größerer Männer für bestimmte Waffengattungen. Die Soldaten, die für die Untersuchung zur Verfügung standen, stellen andererseits nur eine sehr kleine Stichprobe aus einem relativ begrenzten Areal dar. Es könnte also sowohl sein, dass es sich um ein Artefakt der Stichprobe handelt, oder aber, dass die Gruppe vorrangig einer bestimmten Waffengattung angehörte.

Paläopathologische Anzeichen von chronischen Infektionskrankheiten waren unter den Soldaten in einigen Fällen festzustellen, obwohl es sich zumeist um nicht unbedingt schwerwiegende Erkrankungen handelte. Die Hälfte der Soldaten wies neugebildeten Knochen in den Nasennebenhöhlen auf, die auf eine chronische Entzündung in diesem Bereich zurückgehen. Als Ursachen kommen neben einer Infektion der Atemwege auch die sekundäre Ausbreitung von Zahnerkrankungen im Oberkiefer infrage. Solche Veränderungen sind an archäologischem Skelettmaterial aus historischer und prähistorischer Zeit häufig festzustellen. Interessanter ist die ebenfalls relativ hohe Frequenz von Anzeichen chronischer Lungenentzündungen, die bei 40% der Soldaten zu beobachten waren. Diese schlagen sich am Skelett durch Knochenneubildungen an der Innenseite der Rippen nieder, ausgelöst durch eine Entzündung im Bereich der Lunge. Hinter diesen Entzündungen können einerseits simple bakterielle, virale oder fungale Atemwegsinfektionen, aber auch schwerwiegendere Infektionskrankheiten wie Tuberkulose stehen. Eine genauere Zuordnung zu einer dieser Krankheiten ist durch die Knochenveränderungen an den Rippen alleine nicht möglich. Chronische Lungenentzündungen und Tuberkulose waren bis zur flächendeckenden Anwendung von Antibiotikum Anfang des 20. Jahrhunderts in Europa generell sehr weit verbreitet. Daher ist es nicht weiter verwunderlich, dass auch zahlreiche Soldaten im Laufe ihres Lebens daran erkrankten. Interessant ist jedoch, dass bei drei der Männer die Lungenerkrankung zum Zeitpunkt ihres Todes akut war. Fieber, Schmerzen, starker Husten und körperliche Schwäche wären nur einige der Symptome gewesen, unter denen die Männer gelitten haben könnten. Dies zeigt, dass wohl viele Soldaten weit entfernt von der Höhe ihrer Kräfte und Einsatzfähigkeit gewesen waren, als sie in die Schlacht gingen.

Häufig zu beobachten waren des Weiteren Knochenneubildungen an den Unterschenkeln der Soldaten, diese sind jedoch deutlich schwieriger zu interpretieren als die übrigen Pathologien. Als Ursachen kommen eine Reihe von krankhaften Prozessen infrage, u. a. chronische Infektionskrankheiten, Gefäßerkrankungen, Mangelerkrankungen, Verletzungen sowie Überbelastung des muskulären Apparates der unteren Extremitäten. In Anbetracht der übrigen paläopathologischen Veränderungen sowie des allgemeinen Hintergrundes der Soldaten kann keiner dieser Gründe ausgeschlossen werden – im Gegenteil, es wäre sogar möglich, dass in vielen Fällen mehrere gleichzeitig zum Tragen kamen.

Zahngesundheit

Ein weiteres großes gesundheitliches Problem der Soldaten im Feld war die sehr schlechte Zahngesundheit. Die systematische Untersuchung der Gebisse der Skelette aus den Massengräbern von Aspern zeigte trotz des generell jungen Sterbealters der Männer ausgesprochen hohe Frequenzen von Karies, Zahnstein, Abszessbildungen, Zahnfleischentzündungen und Zahnausfall.

Schlechte Zahngesundheit war bis zur flächendeckenden Einführung der Zahnmedizin und der Zahnhygiene, die in Europa jedoch erst im 20. Jahrhundert anzusetzen ist, in allen Bevölkerungsschichten ein weit verbreitetes Phänomen. Die an den Soldaten beobachteten Werte liegen jedoch auch im zeit-

Starke Knochenneubildungen (schwammartige, graue Substanz) am Unterkiefer aufgrund einer chronischen Entzündung im Bereich der Kiefernerven. Diese steht vermutlich mit den starken Zahnpathologien in Zusammenhang.

Häufigkeiten der verschiedenen Zahnerkrankungen unter den Soldaten aus dem Asperner Schlachtfeld

	Karies	Abszess	Zahn-stein	LEH	Parodontitis	Intravitaler Zahnausfall
Anzahl der untersuchten Kiefer	24	24	24	25	24	23
Anzahl krank	20	5	23	11	19	13
% krank	83,3%	20,8%	95,8%	44,0%	79,2%	56,5%

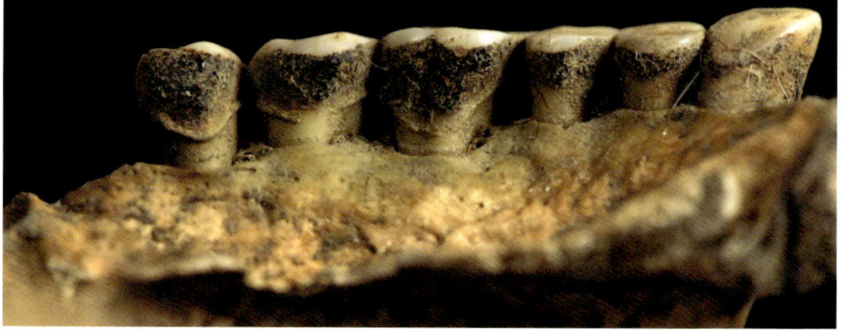

Oben: Abszessbildung (Pfeil) und starke Karies am Oberkiefer. **Unten:** Tabakauflagerungen an der Innenseite der Zähne des Oberkiefers eines Mannes aus dem Grab V15/2010.

genössischen Vergleich im absoluten Spitzenfeld, lediglich vergleichbar mit Gruppen aus den untersten sozialen Schichten. Dies zeugt neben fehlender Zahnhygiene von stark kohlenhydratreicher Nahrung, steht aber möglicherweise auch mit einem generell schwachen Immunsystem in Zusammenhang. Karies, Zahnbettentzündungen und Abszesse trugen dann in weiterer Folge zu einer zusätzlichen Schwächung des Immunsystems der Soldaten bei und machten diese auch wieder anfälliger für andere Krankheiten.

An den Zähnen von zwei Männern waren starke schwarze Auflagerungen festzustellen. Diese sind die Rückstände von Tabak, der vermutlich in erster Linie gekaut wurde.

Körperliche Belastung

Die Skelette der Soldaten erzählen aber nicht nur vom Auftreten von Krankheiten, sondern sind auch Zeugen der schweren körperlichen Belastung, die mit den Anstrengungen der transkontinentalen Feldzüge einherging. Degenerative Veränderungen an Gelenken entstehen durch jahrelange, kontinuierliche Belastung und beginnen sich daher unter normalen modernen Lebensumständen zumeist nicht vor der dritten oder vierten Lebensdekade auszubilden. An den Soldaten waren Anzeichen von Osteoarthritis an der Wirbelsäule und den Fußgelenken jedoch bereits bei sehr jungen Männern im Alter zwischen 20 und 30 Jahren festzustellen. Ein interessanter Marker sind zwei Fälle von „Baastrup-Syndrom", bei dem es sich um einander berührende Dornfortsätze der Wirbelsäule handelt. Während dies in der Lendenwirbelsäule bei alten Menschen oder nach langjähriger körperlicher Schwerarbeit relativ häufig ist, gibt es kaum klinische Berichte vom „Baastrup-Syndrom" der oberen und mittleren Brustwirbelsäule, wie dies bei den Asperner Soldaten zu beobachten war. Ursache hierfür ist eine übermäßige Rückbeuge im Brustwirbelbereich wie dies beispielsweise beim Tragen schwerer Lasten am Rücken der Fall ist.

Verheilte Verletzungen waren unter den Soldaten nicht sehr häufig zu beobachten. Lediglich sechs der 30 Untersuchten hatten zu Lebzeiten Knochenbrüche erlitten, die zum Zeitpunkt des Todes bereits verheilt waren oder zumindest begonnen hatten zu heilen. In den meisten Fällen handelte es sich um eher geringfügige Verletzungen, die den Soldaten möglicherweise gar nicht als Fraktur bewusst geworden waren. Am häufigsten zu beobachten waren Brüche des 3. und 4. Mittelfußknochens, an zwei Männern waren diese gerade erst in Heilung begriffen. Solche Verletzungen treten häufig als Stressfrakturen, sog. Marschfrakturen, auf und entstehen durch langfristige Überbelastung der Füße, wie dies eben beim langen Marschieren auf Feldzügen der Fall ist. Obwohl sie nicht wie andere Brüche zu einem Funktionsverlust führen, sind sie

„Küssende Dornfortsätze" – Facetten zwischen zwei Wirbeln, ausgelöst durch eine Überbeanspruchung in der oberen Brustwirbelsäule.

doch durch das Auftreten starker Schmerzen gekennzeichnet. Die vergleichsweise hohe Frequenz unter den Gefallenen von Aspern spiegelt daher die harte Realität der langen Fußmärsche auf den Feldzügen der historischen Armeen wider. Während als Therapie heute 4 bis 6 Wochen Ruhigstellung verordnet werden, um eine vollständige Heilung zu garantieren, war dies in der Vergangenheit mit Sicherheit nicht der Fall. Die stark entzündlich veränderten Knochenneubildungen an den Bruchkanten von Mittelfußknochen zweier Soldaten liefern hier einen deutlichen Gegenbeweis und waren bei Bewegung vermutlich ausgesprochen schmerzhaft.

Einen außergewöhnlichen Fall einer verheilten Verletzung stellt einer der Soldaten aus dem Massengrab V33 dar. An seinem Hinterkopf wies der etwa 30 bis 40 Jahre alte Mann eine 8 cm lange, gut verheilte Schnittwunde auf. Der Heilungsgrad deutet darauf hin, dass die Verletzung längere Zeit vor dem Tod entstanden sein muss. Größe und Form der Wunde lassen einen Schwert- oder Bajonetthieb vermuten. Obwohl die Verletzung bei einem Soldaten der napoleonischen Zeit an sich nicht weiter verwundert, ist die Tatsache, dass sie so gut verheilt war und der Mann später den aktiven Kriegsdienst wieder aufnehmen konnte, bemerkenswert. Die medizinische Versorgung von Soldaten im Feld war bis ins 20. Jahrhundert ausgesprochen schlecht. Trotz erster Bestrebungen im 18. Jahrhundert diese systematisch zu

Starke Entzündungsreaktionen im Umkreis einer schlecht verheilten Marsch-Fraktur am 3. Mittelfußknochen.

verbessern, war sie in den Napoleonischen Kriegen immer noch lediglich rudimentär. Daher bedeuteten insbesondere offene Wunden im Feld aufgrund von schlechter Versorgung und/oder anschließender Sepsis zumeist das sichere Todesurteil. Wurde die Verletzung doch überlebt, war dies jedoch in den meisten Fällen ein Grund für Invalidität und Ausscheiden aus der Armee. Daher dürfte der Mann aus dem Massengrab von Aspern eine Besonderheit darstellen und deutet vielleicht auch auf den hohen Mannschaftsbedarf in den großen Kriegen der frühen Neuzeit hin, durch den Rekrutierungskriterien sehr viel niedriger angesetzt werden mussten. M. B./L. Qu.

Verheilte Hiebverletzung am Hinterkopf eines Mannes aus dem Massengrab V33/2012.

Der Tod auf dem Schlachtfeld

Unabhängig von Herkunft, sozialer Stellung, Dienstgrad oder Funktion innerhalb der Armee fanden auf dem Schlachtfeld alle einen ähnlichen Tod. Die Skelette der Gefallenen liefern hierzu nur allzu deutliche Zeugnisse. In vielen Fällen wurden auch die Instrumente des Todes, Kugeln und Geschosse, eingebettet in die Knochen mit ins Grab genommen. Die Identifikation von sog. perimortalen Traumata, also Verletzungen, die um den Zeitpunkt des Todes entstanden waren, an Skelettresten ist zumeist gar nicht so einfach. Die größte Schwierigkeit liegt darin, zu unterscheiden, ob ein Bruch im Knochen als Folge einer Krafteinwirkung zu Lebzeiten, durch Taphonomie, also in den Jahrhunderten nach dem Tode durch natürliche Faktoren bei der Lagerung, oder überhaupt erst im Rahmen der Bergung entstanden ist. Hinweise, die zu einer Identifikation der Ursache beitragen können, finden sich in Form, Beschaffenheit und Farbe von Bruchkanten. Im lebenden Körper besteht der Knochen zu 30% aus organischer Substanz, größtenteils Kollagen, das dem Knochen eine gewisse Biegsamkeit verleiht. Darüber hinaus wird auch Knochengewebe von zahlreichen Blutgefäßen und Nerven versorgt und ist außerdem von einer dichten Schichte Bindegewebe, der Knochenhaut (Periost), umgeben. Diese Faktoren führen dazu, dass lebender Knochen ein gänzlich anderes Bruchverhalten hat als trockener Knochen, der nur mehr einen geringen organischen Anteil besitzt und dem auch die bindegewebige Hülle fehlt. Das entstehende Bruchmuster ist bei taphonomischer Beschädigung daher gänzlich anders als bei Kraft- oder Gewalteinwirkung zu Lebzeiten. Der Kollagengehalt führt auch dazu, dass die Bruchkanten bei perimortalen Verletzungen eine andere Beschaffenheit haben und sehr viel glatter sind als bei postmortalen Brüchen. Auch die Färbung der Bruchkanten kann einen Hinweis auf die Ursache einer Beschädigung des Knochens geben. Während ein alter Bruch die gleiche Farbe wie die übrigen Knochenoberflächen annimmt, sind frische Brüche, insbesondere solche, die durch unvorsichtige Bergung oder Handhabung der Knochen entstehen, oft sehr viel heller oder überhaupt weiß. Trotz dieser Faustregeln lässt sich eine Identifikation oft nicht eindeutig treffen, insbesondere wenn die Knochen schlecht erhalten oder stark fragmentiert sind.

Alle aus den Gräbern auf dem Schlachtfeld von Aspern geborgenen Soldaten wurden eingehend auf das Vorhandensein von perimortalen Traumata untersucht. Obwohl eine hohe Frequenz an Verletzungen natürlich zu erwarten war, ergaben sich durch Identifikation der Todesursache in Kombination mit der Position der Gräber am Schlachtfeld und der Art der verwendeten Munition doch einige interessante Rückschlüsse auf Schlachtverlauf, Kampfweise und sogar Herkunft der Soldaten.

Insgesamt konnten an 24 der 32 Soldaten (75%) Spuren von perimortalen Verletzungen festgestellt werden. Eine genauere Betrachtung der Verteilung der Verletzungen am Skelett ergab die in der Tabelle und auf der Abbildung auf Seite 115 dargestellten Werte.

Mit großer Mehrheit konnten diese eindeutig als Schusswunden identifiziert werden. Klare Hieb- oder Schnittverletzungen, hervorgerufen durch den Einsatz von Bajonetten oder Säbeln, waren unter den Soldaten nicht festzustellen. Dies ist insofern verwunderlich, als Hieb- und Stichwaffen zum Standard-Repertoire der Ausrüstung der Soldaten in der Zeit der Napoleonischen Kriege gehörten. Das Fehlen von entsprechenden Verletzungen könnte sich hier ebenfalls aus der Position der Toten innerhalb der Schlachtenordnung erklären.

Vergleicht man die Fundpunkte der Soldatengräber mit den historischen Daten zu den Aufstellungen beider Armeen, lassen sich diese großteils in der Mitte des Schlachtfelds zwischen den beiden Fronten lokalisieren. Dort dürften, zumin-

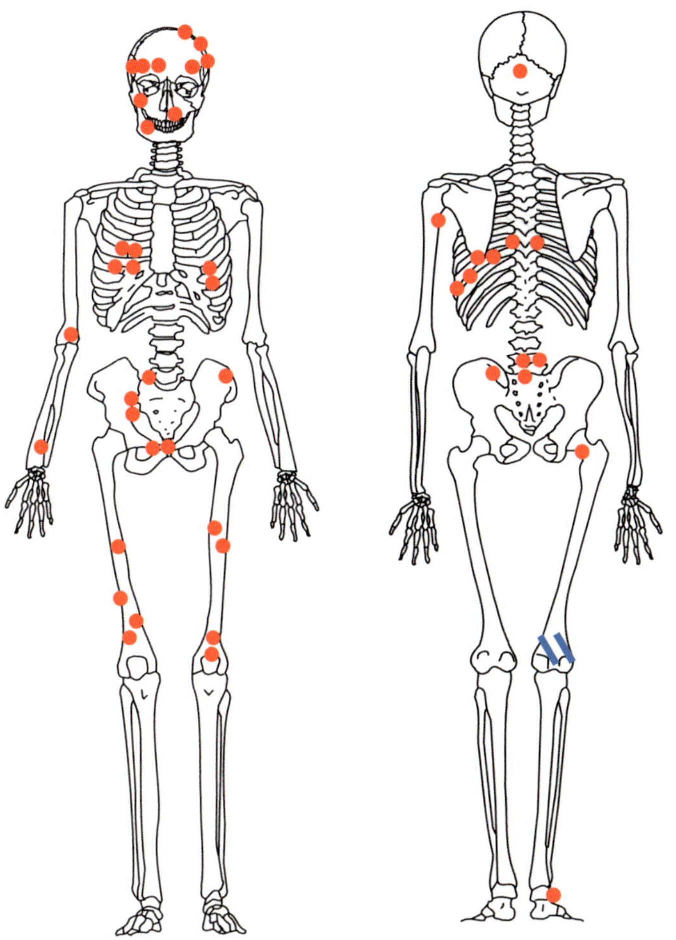

Verteilung der Verletzung am Skelett		
Schädel	12	37,5%
Obere Extremität	3	9,4%
Thorax	13	40,6%
Untere Extremität	8	25,0%

Verteilung der perimortalen Verletzungen an den Skeletten der Soldaten aus Aspern.

dest anfänglich, solange noch Munition vorhanden war, in erster Linie Schusswaffen und Kanonen zum Einsatz gekommen sein. Dies würde erklären, warum mehrheitlich der Schädel- und Oberkörperbereich betroffen war. Interessant sind auch mehrere Schussverletzungen, bei denen die Männer in den Rücken getroffen wurden. Ob es sich hierbei um „friendly fire“ der nachkommenden Truppen handelte oder ob die Verletzungen darauf hindeuten, dass die Soldaten versuchten, vor dem heranrückenden Feind zu flüchten, lässt sich jedoch nicht mit Sicherheit klären.

Sterbealter der Soldaten

Das ungefähre Sterbealter eines Menschen lässt sich am Skelett ebenso ablesen. Bei Kindern können als Merkmale der

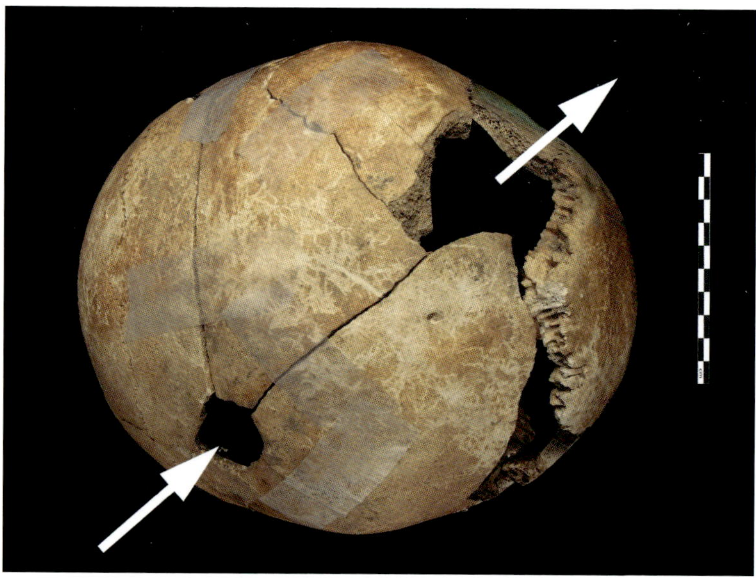

Kopfverletzung durch eine Kugel mit Ein- und Austrittswunde, Soldat aus dem Massengrab V15/2010.

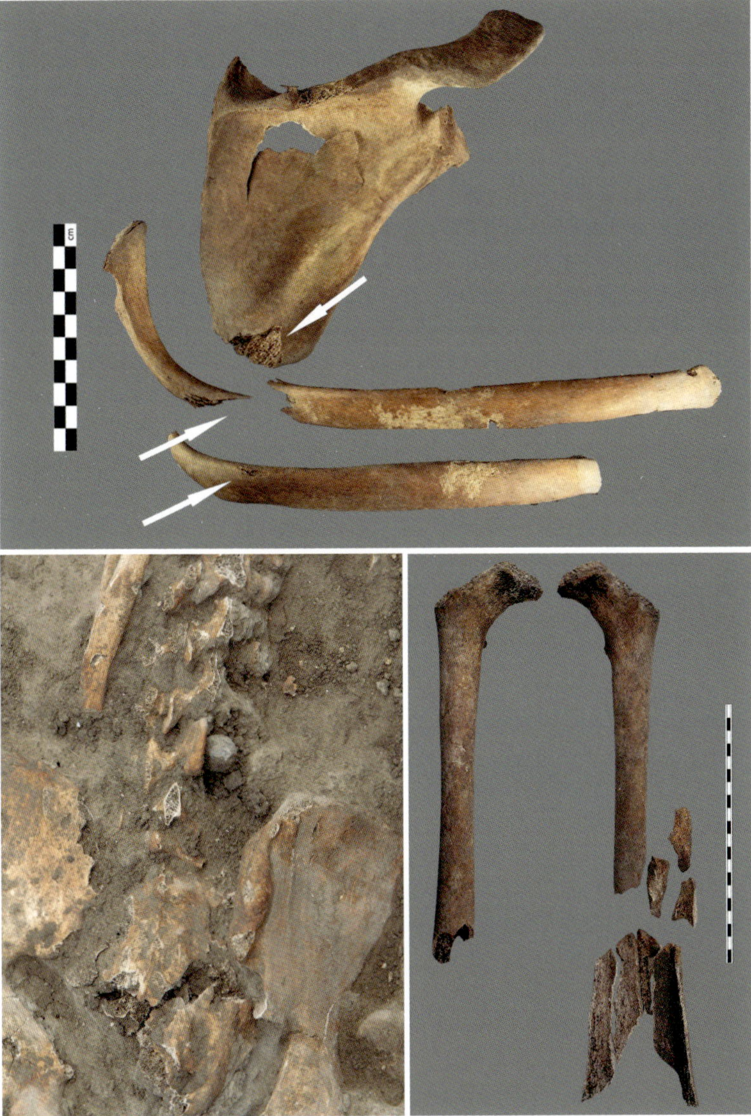

Oben: Brüche an Rippen und Schulterblatt durch eine von hinten in den Körper eingedrungene Kugel, Soldat aus dem Massengrab V15/2010. **Unten links:** Kugel im unteren Rücken eines Soldaten aus dem Massengrab V33/2012. **Unten rechts:** Durch eine Kugel vollständig zerstörte Oberschenkelknochen eines Soldaten aus dem Massengrab V33/2012.

Ausbildungsgrad der Zähne, die Länge der Langknochen sowie der Verschlussgrad der Wachstumsfugen, die alle einem relativ engen chronologischen Schema folgen, herangezogen werden. Nach Abschluss des Skelettwachstums im Alter zwischen 20 und 30 Jahren wird die Altersbestimmung zunehmend schwierig und beruht lediglich auf Abnutzungserscheinungen an Zähnen, Gelenken wie der Schambeinfuge und dem Iliosakralgelenk sowie auf dem Verschlussgrad der Schädelnähte. Im Gegensatz zum Wachstum sind diese Prozesse jedoch sehr stark von äußeren Einflussfaktoren wie körperliche Aktivität, Ernährung oder Gesundheitszustand, aber auch von den individuellen genetischen Grundlagen einer Person abhängig. Daher kann das Alter bei Erwachsenen nur mehr sehr grob in Schritten von 10 bis 15 Jahren eingeschätzt werden, bei schlechtem Erhaltungszustand oft auch in noch größeren Spannen.

Die Soldaten vom Asperner Schlachtfeld waren zum Zeitpunkt des Todes größtenteils noch sehr jung, lediglich knapp 10% hatten das 35. Lebensjahr bereits überschritten. Im Gegensatz dazu fanden sich mehrere sehr junge Männer, die im Alter zwischen 16 und 20 Jahren gestorben sein dürften. Diese Altersverteilung entspricht sowohl historischen Aufzeichnungen als auch Ergebnissen aus anderen annähernd zeitgleichen Skelettserien aus archäologisch erfassten militärischen Fundstellen. In Frankreich galt seit 1798 ein Konskriptionsgesetz, nach dem alle unverheirateten männlichen Untertanen im Alter zwischen 20 und 25 Jahren zum Militärdienst

Sterbealter-Verteilung der Asperner Soldaten		
>20 Jahre	6	18,8%
20–35 Jahre	23	71,9%
35–50 Jahre	3	9,4%
Total	32	

verpflichtet waren. Obwohl die Anzahl ursprünglich auf 60.000 Mann pro Jahrgang beschränkt war, erhöhte man diese in den Kriegsjahren, um dem hohen Mannschaftsbedarf gerecht zu werden. Im Gegensatz dazu rekrutierten sich die Soldaten der Habsburger Armee zur Zeit der Napoleonischen Kriege immer noch gemäß dem 1770/71 erstmals eingeführten Konskriptionssystem. Es besagte, dass alle als diensttauglich geltenden, ledigen männlichen Untertanen zwischen 17 und 40 Jahren in Abhängigkeit vom jeweiligen Bedarf ins Heer eingezogen oder von den Ständen abgestellt werden konnten. Darüber hinaus gab es natürlich Freiwillige und Milizen. Ein Ausscheiden war zumindest in der österreichischen Armee nur durch Verwundung, Tod oder Desertion möglich. Diese geltenden Altersvorschriften spiegeln sich auch in der Sterbealterverteilung der Soldaten von Aspern wider. Interessant ist das Auffinden mehrerer sehr junger Männer. Es lässt sich einerseits durch – historisch gut belegte – Falschaussagen, andererseits aber auch durch den sehr hohen Bedarf an Soldaten in Kriegszeiten erklären. Dieser hatte zur Folge, dass immer wieder Bestimmungen ausgesetzt wurden, um entsprechende Zahlen neuer Rekruten zu finden. M. B./L. Qu.

Abschließende Betrachtungen

Natürlich handelt es sich bei den uns für eine Untersuchung zur Verfügung stehenden Skeletten nur um eine sehr kleine Stichprobe und es verbleibt die Möglichkeit, dass diese nicht repräsentativ für die große Mehrheit der Soldaten, die während der Napoleonischen Kriege kämpften, ist. Auch die Tatsache, dass wir nicht wissen, welcher der beiden gegnerischen Armeen die Männer angehörten, schränkt die Interpretation der Ergebnisse etwas ein. Dennoch lassen sich gewisse Trends erkennen, die doch einen kleinen Einblick in die Lebensbedingungen einfacher Soldaten zu Beginn des 19. Jahrhunderts erlauben. Die Knochen zeugen von Krankheiten, Anstrengungen und Schmerzen und zeigen, dass die Männer weit entfernt von der Höhe ihrer körperlichen Einsatzfähigkeit waren – eine Tatsache, die mit Sicherheit nicht nur auf die Zeit der Napoleonischen Kriege zutrifft. Trotzdem zogen sie unermüdlich für Kaiser und Vaterland in die Schlacht und fanden dort letztlich ihr Ende. Wir dürfen jedoch nicht außer Acht lassen, dass die Lebensbedingungen der einfachen Bevölkerung sowohl in Frankreich als auch in den habsburgischen Ländern im späten 18. und frühen 19. Jahrhundert teils außerordentlich schlecht und von Hungersnöten und Seuchen geprägt waren. Für viele Männer bedeutete der Eintritt in die Armee zumindest sichere Nahrung und ein halbwegs regelmäßiges Salär. Doch auch dies rechtfertigte am Ende nicht das Leid und die Anstrengungen, die mit der harten Realität des Krieges und der langen Feldzüge quer durch Europa letztlich verbunden waren. M. B./L. Qu.

Erinnerungen an die Schlacht – Ausflüge zu Denkmälern auf Wiener Stadtgebiet

Personenkult und Gedenken

In den Jahrzehnten nach der Schlacht bei Aspern wurden im öffentlichen Raum zahlreiche Denkmäler errichtet, Gedenksteine gesetzt und Tafeln an Häusern angebracht. Ein Teil davon befindet sich heute auf Wiener Stadtgebiet und bietet sich als durchaus lohnendes Ausflugsziel an.

Heldenverehrung zum Ruhme des Hauses Habsburg

Die Verherrlichung Erzherzog Karls in Wort und Bild setzte bereits mit seinen militärischen Erfolgen gegen die Franzosen in Deutschland im Jahr 1796 ein. Der Sieg in der Schlacht bei Aspern erwies sich für den als „Retter Germaniens" Gefeierten als ein weiterer Höhepunkt in seiner Karriere als Feldherr. Damit war seine Person als Projektionsfläche zur Vermittlung des Machtanspruchs und Vorranges der Dynastie der Habsburger prädestiniert. Bildlichen Ausdruck fand diese Selbstsicht in einem Denkmal für Erzherzog Karl am Heldenplatz, das bereits 1847 angedacht wurde. Der Auftrag erfolgte schließlich am 4. Jänner 1853 durch Kaiser Franz Joseph I. persönlich. Dass es dabei mehr um die aktuelle zeitgenössische Politik als um das Gedenken an den Erzherzog ging, zeigt die Verschiebung der zum 50-Jahr-Jubiläum der Schlacht bei Aspern geplanten Enthüllung des Denkmals. Der Festakt erfolgte erst ein Jahr später, am 22. Mai 1860, nachdem die Niederlage der Österreicher im Sardinischen Krieg 1859 Gebietsverluste und einen schweren Schlag für den habsburgischen Neoabsolutismus bedeutet hatte.

Das beeindruckende, von Anton Dominik Fernkorn (1813–1878) geschaffene Reiterstandbild am Heldenplatz ist eine technische Meisterleistung, denn das gesamt Gewicht der Statue ruht auf den dünnen Hinterbeinen des Pferdes. Der Erzherzog prescht als dynamischer Feldherr mit wehendem Mantel auf seinem edlen Ross voran. In der Hand hält er nicht den für derartige Standbilder üblichen Marschallstab, sondern

Links: Das Denkmal für Erzherzog Karl am Heldenplatz zwischen Hofburg und Volksgarten ist eine Meisterleistung des Bildhauers Anton Dominik Fernkorn. Am oberen Teil des Sockel sind die Daten zahlreicher Schlachten vermerkt.

eine Fahne, mit der er, den Arm entschlossen ausgestreckt, den Weg weist. Das Motiv geht auf die Legende zurück, nach der Erzherzog Karl in einem entscheidenden Moment der Schlacht die Fahne des Regiments Zach ergriff und mit ihrer Hilfe die sich bereits zur Flucht anschickenden Infanteristen wieder gegen den Feind wandte. Die heroische Darstellung knüpft an das 1812 von Johann Peter Krafft im Auftrag von Herzog Albert von Sachsen-Teschen, dem Ziehvater Erzherzog Karls, geschaffene Gemälde „Erzherzog Karl mit der Fahne des Regiments Zach in der Schlacht von Aspern" an.

Die ursprünglich für den Sockel geplanten Eckgruppen mit Allegorien der Vaterlandsliebe, Tapferkeit, Fahnentreue und des Großmuts gegen den besiegten Feind kamen nicht zur Ausführung, obwohl in der Literatur die Schlacht bei Aspern noch lange nach 1809 in Erinnerung gerufen wurde, um die Kraft des geeinten Volkes zu beschwören und Begeisterung für das Vaterland zu schüren. Stattdessen erhielt die Statue einen einfachen Steinsockel nach einem Entwurf von Eduard van der Nüll (1812–1868) mit Tafeln aus Bronze. Die beiden Inschriften „Dem beharrlichen Kämpfer für Deutschlands Ehre" und „Dem heldenmüthigen Führer der Heere Österreichs" unterstreichen das Selbstverständnis Österreichs als Schutzmacht für Deutschland.

Vorstudien und Modelle des Reiterstandbildes befinden sich im Heeresgeschichtlichen Museum Wien, in dessen „Saal der Revolutionen" neben Waffen und Uniformen auch das Modell des Denkmals des „Löwen von Aspern" und wichtige Gemälde von Johann Peter Krafft zu sehen sind.

Die Erinnerungen an den Sieg bei Aspern kulminierten am 21. und 22. Mai 1809 mit der Erzherzog-Carl-Ausstellung im k. k. Österreichischen Museum für Angewandte Kunst und Industrie sowie einer vor Ort stattfindenden „Hundertjahrfeier" – als wieder ein Krieg bevorstand.

Vom „Löwen von Aspern" zum Schüttkasten in Essling

Bei einem Spaziergang von Aspern nach Essling können mehrere Denkmäler und historische Stätten aufgesucht werden. Als Ausgangspunkt eignet sich die Asperner Pfarrkirche St. Martin, in deren unmittelbarer Nachbarschaft sich das Museum Aspern 1809 (Asperner Heldenplatz 9) befindet.

Vor der Kirche wurde am 22. Mai 1858 ein Denkmal enthüllt, das an den Sieg der Österreicher über Napoleons Armee in der Schlacht bei Aspern erinnert. Vordergründig ist es, wie die Inschrift am Sockel besagt, „Dem Andenken der am 21. und 22. May 1809 / ruhmvoll gefallenen oesterreichischen Krieger" gewidmet. Der Auftrag erfolgte 1855 durch Erzherzog Albrecht (1817–1895), dem ältesten Sohn von Erzherzog Karl, und ging an Anton Dominik Fernkorn. Dieser wählte für die Darstellung des Ereignisses einen liegenden Löwen, der in der Bildsprache des 18./19. Jahrhunderts mit Heldentum und dem Tod in der Schlacht gleichgesetzt wurde. Der „Löwe von Aspern" liegt – von einer Speerspitze, die hinter dem linken

Der ebenfalls von Anton Dominik Fernkorn geschaffene „Löwe von Aspern" wurde 1858 vor der Kirche in Aspern – heute Wien 22, Asperner Heldenplatz – aufgestellt.

Schulterblatt austritt, durchbohrt – im Sterben. Sein muskulöser Körper ist dramatisch übersteigert, die wallende Mähne dynamisch zerwühlt wiedergegeben. Der Kopf mit dem schmerzverzerrten Gesicht ruht auf den ausgestreckten kräftigen Vorderläufen. Unter dem Löwen lugen Feldzeichen Napoleons und französische Ausrüstungsgegenstände (Kürass, Helm) hervor. Das Augenmerk liegt jedoch nicht auf diesen, den Sieg andeutenden Trophäen. Stattdessen konzentrierte Fernkorn die Aufmerksamkeit des Betrachters auf den Todeskampf des Löwen, offensichtlich mit der Absicht, ein Gefühl der Trauer wachzurufen.

Wesentlich weniger emotional ist das Artilleristen-Denkmal am Siegesplatz konzipiert. Der Obelisk auf Stufensockel von Richard Hillebrand wurde 1909 zum Andenken an die 1809 von der österreichischen Artillerie erbrachten Opfer aufgestellt.

Entlang der Groß-Enzersdorfer-Straße, über das ehemalige Schlachtfeld, gelangt man nach Essling zum Schüttkasten (Simonsgasse). Der einstige Getreidespeicher ist heute eine „Außenstelle" des Museum Aspern 1809. Das imposante dreige-

Der Schüttkasten von Essling.

schossige Gebäude aus dem zweiten Viertel des 18. Jahrhunderts wurde während der Schlacht 1809 von den Franzosen besetzt und konnte von ihnen bis zuletzt gehalten werden.

Gedenksteine als Erinnerung an Napoleons Heerlager in der Lobau

Kaum war die Schlacht von Aspern geschlagen, wurde die Lobau von den Franzosen zu einem befestigten Waffenplatz ausgebaut. Nachdem sich eine Pontonbrücke als Schwachstelle bei der ersten Überquerung der Donau erwiesen hatte, ließ Napoleon über ihren Hauptarm eine feste Brücke und eine Schiffsbrücke, geschützt von einer vorgelagerten Palisade, erbauen. Der Brückenkopf wurde mit einer mächtigen Schanze befestigt. Patrouillierende Kanonenboote boten zusätzlichen Schutz. Auf der „Île Napoléon" verband ein Wegenetz die für Lebensmittel und Munition errichteten Magazine, Feldküchen sowie Verbandsplätze und ermöglichte rasche Truppenbewegungen. Rund um die Insel wurden Geschütze in Stellung gebracht und kleinere Schanzen aufgeworfen. Im Norden und Osten errichteten die Franzosen in Rekordzeit zehn Brücken über den die Insel umfließenden Donauarm, um das rasche Übersetzen der Truppen für die bevorstehende Schlacht von Deutsch-Wagram, in der die Österreicher vernichtend geschlagen wurden, zu gewährleisten. Aber das ist eine andere Geschichte …

1859 wurden in der Lobau sechs Gedenksteine gesetzt. Sie erinnern an den Brückenkopf, der im Zuge der Donauregulierung beseitigt wurde, und markieren die Standorte von Napoleons Hauptquartier sowie eines Pulvermagazins. Ein weiterer Gedenkstein ist am Ende der Militär-

Einer der sechs Gedenksteine, die 1859 zur Erinnerung an das Heerlager Napoleons in der Lobau gesetzt wurden.

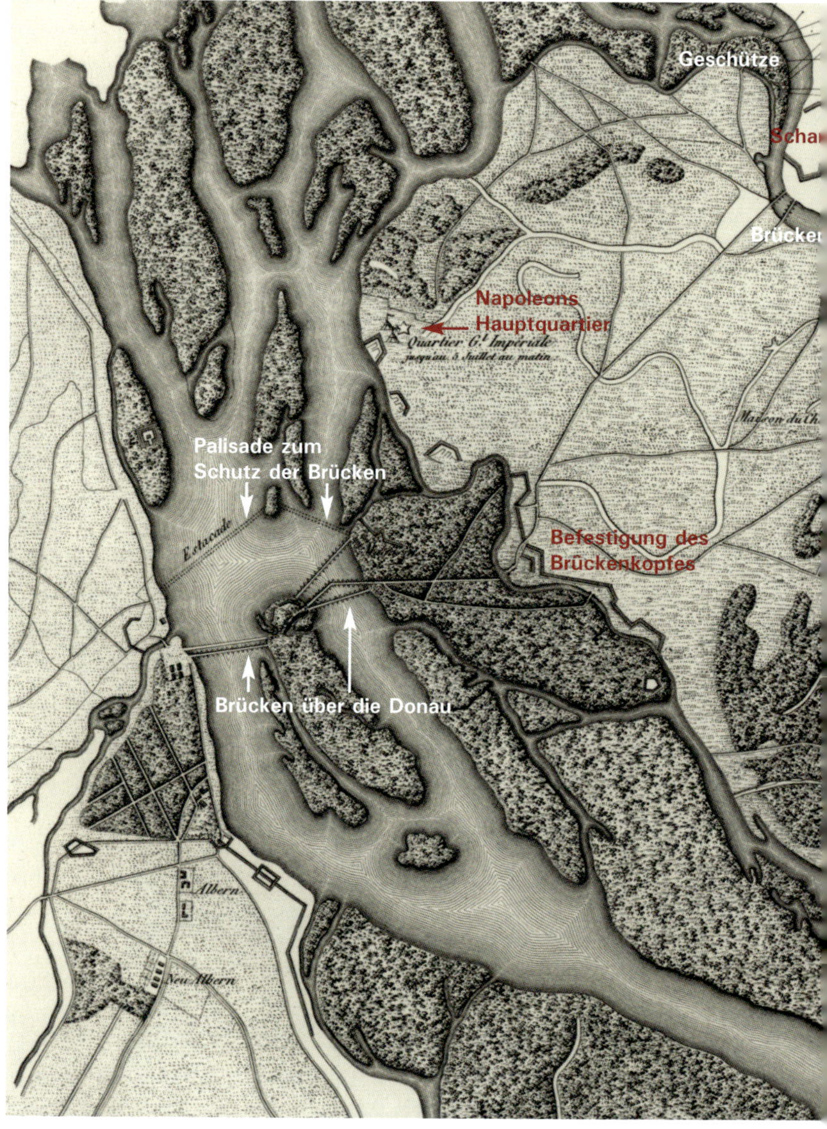

Die befestigte Lobau, von den Franzosen auch Île Napoléon genannt. Aus: A. de Laborde, Précis Historique de la Guerre entre la France et l´Autriche en 1809, Paris 1822. (Wienbibliothek im Rathaus, Druckschriftensammlung)

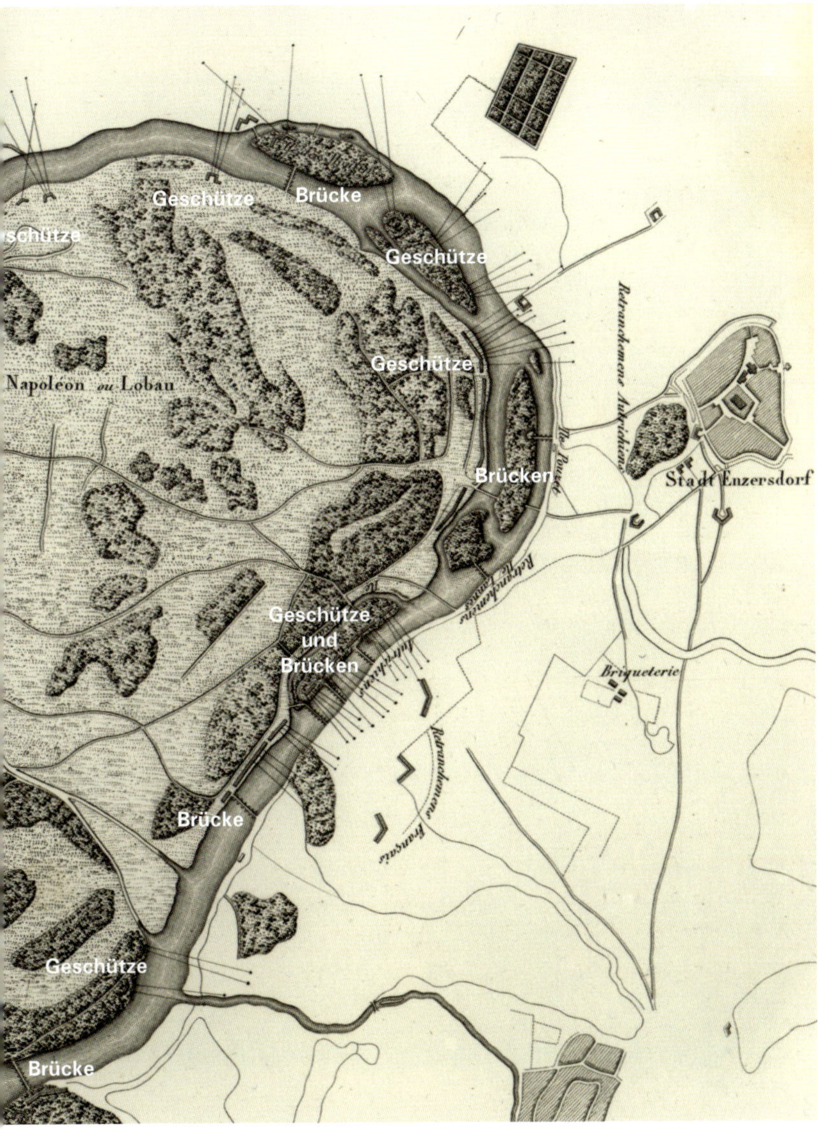
Geschütze
Brücke
Geschütze
Geschütze
Napoleon ou Lobau
Retranchemens Autrichiens
Brücken
Stadt Enzersdorf
Geschütze
und
Brücken
Briqueterie
Retranchemens Français
Brücke
Geschütze
Brücke

straße, über die das französische Heer in die Schlacht von Aspern zog, zu finden. Die dazugehörige Brücke über den Donauarm ist längst verschwunden, von der beeindruckenden Schanze in der Unteren Mühlau, die im Mai 1809 den Übergang der Franzosen schützte, hat sich jedoch bis heute ein Rest erhalten. Er ist auf Luftbildern gut zu sehen, im Gelände jedoch für Spaziergänger nicht zugänglich. Ob sich unter dem Aufstellungsort des Gedenksteins „Friedhof der Franzosen" tatsächlich ein Massengrab befindet, ist ungewiss, denn archäologische Ausgrabungen haben hier nie stattgefunden. Der sechste Gedenkstein am Ostrand der Lobau nimmt Bezug auf die Überquerung des Donauarmes vor der Schlacht von Deutsch-Wagram. Die Gedenksteine können noch heute im Zuge einer drei- bis vierstündigen Wanderung durch das Gebiet des Nationalparks Donau-Auen aufgesucht werden. Ch. R.

Die Befestigung des Brückenkopfes in der Lobau, aus: A. de Laborde, Précis Historique de la Guerre entre la France et l´Autriche en 1809, Paris 1822. (Wienbibliothek im Rathaus, Druckschriftensammlung)

Anhang

Erzherzog Karl von Österreich

(* 1771, Florenz. † 1847, Wien)

Carl Ludwig Johann Joseph Laurentius von Österreich wurde als dritter Sohn des Großherzogs der Toskana und späteren Kaisers Leopold II. und Maria Ludovica von Spanien geboren und war der jüngere Bruder von Kaiser Franz II. (I.). Als kränkliches Kind war er für den geistlichen Stand bestimmt worden, er zeigte jedoch schon frühzeitig einen Hang zum Militär. Mit dem Einverständnis seines Vaters Leopold II. (1747–1792) wurde er von seiner kinderlosen Tante Erzherzogin Marie Christine und deren Mann Albert von Sachsen-Teschen adoptiert. Er war gebildet, weitblickend sowie äußerst human erzogen worden und gilt darüber hinaus als begabter Feldherr. Im Gegensatz zu Napoleon Bonaparte wird ihm ein vorsichtiger, analytischer Charakter attestiert. Bereits seit 1792 hatte er im 1. Koalitionskrieg gegen die Französische Republik gekämpft und dort seine ersten militärischen Erfolge errungen, die in seiner Ernennung zum Generalgouverneur der Österreichischen Niederlande 1793 gipfelten. Nach dem Verlust der belgischen Gebiete musste er jedoch nach Wien zurückkehren und stand seinem Bruder Franz I. als militärischer Berater zur Seite. Bereits damals begannen die Konflikte mit seinem kaiserlichen Bruder und dessen Kabinettsministern, die bis ans Ende seiner militärischen Tätigkeit anhalten sollten. 1796 wurde Karl zum Reichsfeldmarschall und damit zum Oberbefehlshaber der kaiserlichen Truppen an der Rheinfront ernannt. Auch im 2. Koalitionskrieg befehligte er die kaiserlichen Truppen in Süddeutschland und der Schweiz, legte jedoch aufgrund von Spannungen mit dem Hofkriegsrat 1800 sein Kommando nieder. Bereits am 9. Jänner 1801 wurde Karl aber zum Präsidenten des Hofkriegsrates ernannt. Am 12. September erhielt er zusätzlich das Amt des Kriegs- und Marineministers. Er versuchte nun, zügig eine Reform des kaiserlichen Heeres einzuleiten, aber die starken Widerstände des Hofes verhinderten eine durchgreifende Neuordnung. Im 3. Koalitionskrieg war Karl Oberbefehlshaber der Armee in Italien. 1805 versuchte er abermals eine Heeresreform einzuleiten, aber auch sie ging nur schleppend voran. Im 5. Koalitionskrieg war er erneut Oberbefehlshaber der österreichischen Armee, aber er war bereits in einem inneren Zwiespalt in diesen Kampf gezogen. Karl fiel nach der Schlacht von Wagram (wegen eines nicht mit dem Kaiser akkordierten Friedensangebots, dem Waffenstillstand von Znaim) endgültig in Ungnade und gab das Kommando ab. Den Rest seines Lebens widmete er sich seiner Familie und verfasste militärische Schriften. Er gilt als bedeutender Militärtheoretiker des 19. Jahrhunderts.

S. S.-O.

Karl, Erzherzog von Österreich (Österreichische Nationalbibliothek Wien, Bildarchiv)

Napoleon I. Bonaparte

(* 1769, Korsika. † 1821, St. Helena)

Napoleon I. wurde als Napoleone Buonaparte geboren. Er entstammte dem korsischen Kleinadel, die Wurzeln seiner Familie liegen in der italienischen Toskana. Prägend für seine Persönlichkeit war wohl, dass sein Vater sich im korsischen Befreiungskampf engagiert hatte. Als zweitgeborener Sohn war er für eine militärische Laufbahn vorgesehen. Seine Ausbildung begann auf der Kadettenschule in Brienne, anschließend wurde er in der École Royale Militaire in Paris zum Artilleristen ausgebildet und erhielt bereits mit 16 Jahren sein Offizierspatent. Seine Karriere begann während der Französischen Revolution, wo er sich bald den Jakobinern anschloss und nach der Eroberung von Toulon 1793 mit nur 24 Jahren zum Général de brigade (Divisionsgeneral) befördert wurde. In den Wirren der Revolution glückte ihm ein kometenhafter Aufstieg, bis er im März 1796 den Oberbefehl über die Italienarmee übernahm. Der Italienfeldzug (1796–1797, 1. Koalitionskrieg) wurde sein erster großer militärischer Erfolg und ab dieser Zeit führte er ausschließlich die französische Variante seines Namens „Napoleon Bonaparte". Weitere Höhepunkte seiner beeindruckenden Laufbahn sind die „Ägyptische Expedition" (1798/1799), und seine Ernennung zum Ersten Konsul der Republik nach dem Staatsstreich vom 9. November 1799, der die Französische Revolution beendete und den dreißigjährigen Bonaparte faktisch zum Alleinherrscher machte. In seiner Funktion als Erster Konsul erwies er sich auch als Erneuerer der Verwaltung und des Rechts. Den Höhepunkt seiner Machtentfaltung bildete zweifellos die Kaiserwürde, die Napoleon durch eine Volksabstimmung und den Senat angetragen worden war, worauf er sich am 2. Dezember 1804 in Anwesenheit von Pius VII. in der Kathedrale Notre Dame de Paris selbst zum Kaiser krönte. Die aus dieser enormen Machtfülle und seinen unersättlichen Eroberungsgelüsten resultierenden Konflikte führten jedoch ab 1810 zu seinem schrittweisen Niedergang, der schließlich im glücklosen Russlandfeldzug von 1812 gipfelte. Den Zusammenbruch markiert die Niederlage Napoleons in der Völkerschlacht von Leipzig 1813. Nach seiner ersten Verbannung auf die Insel Elba im März 1814, von der er während des Wiener Kongresses zurückkehrte, um mit einer erneut ausgehobenen Armee die „Herrschaft der hundert Tage" anzutreten", kam es zu seiner letzten Niederlage in der Schlacht von Waterloo am 18. Juni 1815. Danach dankte Napoleon I. Bonaparte am 22. Juni 1815 ab und trat seinen Weg in die neuerliche Verbannung auf die Insel St. Helena im Südatlantik an, wo er am 5. Mai 1821 verstarb. S. S.-O.

Napoleon I. Bonaparte, Kaiser der Franzosen (Österreichische Nationalbibliothek Wien, Bildarchiv)

Die Kampftechnik

Österreicher

Es herrschte allgemeine Wehrpflicht vom 18. bis zum 40. Lebensjahr, seit 1808 wurden zusätzlich Landwehrbataillone ausgehoben. Die kaiserliche und königliche Armee war ein riesiges Vielvölkerheer aus österreichischen, ungarischen, böhmischen, mährischen und kroatischen Einheiten, die während der Napoleonischen Kriege auch gegen deutschsprachige Soldaten kämpfen mussten.

Die österreichische Armee war als einheitlicher Körper konzipiert, der Feldherr bestimmte mit seinem Schlachtplan den gesamten Verlauf der jeweiligen Schlacht. In der Schlacht von Aspern wurde – trotz der von Erzherzog Karl damals bereits begonnenen Heeresreform – eine veraltete Taktik angewendet, nämlich die Aufstellung der Infanterie in Linien und Treffen. Diese Taktik war langsam und schwerfällig, allerdings wirkungsvoll gegen Reiterattacken. Die langen Befehlswege in der kaiserlichen Armee stellten einen zusätzlichen verlangsamenden Faktor dar.

Das österreichische Heer agierte überwiegend auf eigenem Reichsgebiet und sein Schwergewicht lag auf Verteidigung mit dem Ziel der Erhaltung des Reichsgebietes. Die Versorgung mit Lebensmitteln wurde über Armeedepots organisiert, die mit Vorräten für 18 Tage ausgerüstet waren, jeder Soldat führte Marschverpflegung für drei Tage mit sich, für weitere sechs Tage wurde Proviant im Tross mitgeführt.

Franzosen

Beim Heer Napoleons handelte es sich ebenfalls um ein multiethnisches Heer, bestehend aus Franzosen, Italienern, Dalmatinern, Portugiesen und Polen. Die Rekrutierung neuer Truppen erfolgte durch Massenaushebungen.

Die französische Armee bestand grundsätzlich aus Teilen, es gab kleinere Einheiten wie Korps und Brigaden. Napoleon reformierte die Kampftechnik entscheidend und erhöhte die Anzahl an Geschützen deutlich. Seine Truppen erreichten außerdem eine ausnehmend hohe Marschleistung. Die Korpskommandanten agierten selbstständig und nützten auch die Gunst der Gelegenheit. Der Feldherr selbst ließ die Schlacht zu und richtete seine Taktik nach deren Verlauf. Die modernere Korpstechnik bot auch Vorteile im Ortskampf durch ihre weitaus größere Beweglichkeit. So konnte man alle baulichen und geländemäßigen Gegebenheiten optimal ausnutzen.

Das Schwergewicht lag auf dem Angriff mit dem Ziel der Vernichtung des Gegners. Napoleons Armee versorgte sich grundsätzlich „aus dem Lande“, das heißt auch durch Plünderungen, Requirierungen und Einquartierungen, da sie fast ausschließlich im Feindesland operierte.

S. S.-O.

Archäologische Belege der Schlacht bei Aspern-Essling (1809)

V1/2016 (GC 2016_10) – Doppelbestattung
Grabungsdaten: Aspern Nord – Cluster Ost, Sonnenallee, Befund V1; Fnr. MV 101.946 bis 101.950
Befund: Lange, schmale Grabgrube (N-S orientiert. 1,73 x 0,42 x 0,23 m). Individuum 1 lag in verdrehter linker Seitenlage über Individuum 2, welches am Grubenboden in Rückenlage abgelegt worden war, wobei die Extremitäten an der Grubenwandung aufwärts gerichtet bzw. abgewinkelt und verdreht verblieben.
Funde: Fingerring, vier Beinknöpfe, fünf Scheibenknöpfe aus Zinn, 29 Scheibenknöpfe aus einer Kupferlegierung, Bleikugel.

V47/2013 (GC 2013_01) – Pferdebestattung
Grabungsdaten: Aspern – ehemaliges Flugfeld, Baufeld D10, Befund V47; Fnr. MV 101.253
Befund: Flacher, annähernd rechteckiger Grubenrest (NO-SW orientiert. 2,03 x 1,00 x 0,27 m) mit Resten eines Pferdeskelettes.
Funde: –

V62/2013 (GC 2013_01) – Pferdebestattung
Grabungsdaten: Aspern – ehemaliges Flugfeld, Baufeld D10, Befund V62; Fnr. MV 101.268
Befund: Flacher, annähernd langovaler Grubenrest (NO-SW orientiert. 1,80 x 0,90 x 0,10 m) mit minimalen Resten eines Pferdeskelettes, stellenweise gestört.
Funde: –

V65/2013 (GC 2013_01) – Pferdebestattung
Grabungsdaten: Aspern – ehemaliges Flugfeld, Baufeld D10, Befund V65; Fnr. MV 101.269
Befund: Flacher, annähernd langovaler Grubenrest (N-S orientiert. 2,20 x 1,10 x 0,15 m) mit minimalen Resten eines Pferdeskelettes.
Funde: –

V82/2013 (GC 2013_01) – Pferdebestattung
Grabungsdaten: Aspern – ehemaliges Flugfeld, Baufeld D10, Befund V82; Fnr. MV 101.230
Befund: Flacher, annähernd rechteckiger Grubenrest (NO-SW orientiert. 2,66 x 0,86 x 0,20 m) mit Resten eines Pferdeskelettes.
Funde: Zwei Hufeisen in situ, zwei Objekte aus Bronze.

V5/2012 (GC 2012_06) – Einzelgrab
Grabungsdaten: Aspern – ehemaliges Flugfeld, Baufeld D2, Befund V5; Fnr. MV 101.818–101.824
Befund: Muldenförmige, seichte Grube (N-S orientiert. 1,53 x 0,40 x 0,25 m) mit einem vollständig erhaltenen Skelett in Rückenlage, jedoch sehr verdrehter Körperhaltung.
Funde: Fünf Uniformknöpfe (französische Armee, 105. Linienregiment der Infanterie) aus einer Kupferlegierung in situ an den Handgelenken, Fragment eines Knopfes, drei Fragmente von eisernen Hafteln.

V7/2012 (GC 2012_06) – Pferdebestattung
Grabungsdaten: Aspern – ehemaliges Flugfeld, Baufeld D4, Befund V7; Fnr. MV 101.809, 101.834–101.838
Befund: Muldenförmige, seichte, annähernd quadratische Grube (ca. 3,00 x 3,00 x 0,35 m) mit vier vollständig erhaltenen Pferdeskeletten.
Funde: Zwei Hufeisen, eiserne Schnalle, eiserner Ring, eiserne Kanonenkugel, Bleikugeln.

V8/2012 (GC 2012_06) – Pferdebestattung
Grabungsdaten: Aspern – ehemaliges Flugfeld, Baufeld D3, Befund V8; Fnr. MV 101.808
Befund: Flache, rechteckige Grube (O-W orientiert. 2,66 x 1,20 x 0,20 m) mit einem gut erhaltenen Pferdeskelett.
Funde: Eiserne Hufnägel, Bleikugeln.

V11/2012 (GC 2012_06) – Massengrab
Grabungsdaten: Aspern – ehemaliges Flugfeld, Baufeld J2, Befund V11; Fnr. MV 101.810, 101.817, 101.825–101.833
Befund: Flache Grube (N-S orientiert. 2,00 x 1,36 x 0,30 m) mit mindestens fünf Skeletten im Teilverband, die durch eine jüngere Grube stark gestört wurde.
Funde: 25 Knöpfe aus Bein, sechs Knöpfe (davon ein Exemplar der französischen Armee, Corps du Génie) und eine Schnalle aus einer Kupferlegierung, zwei Knöpfe aus Zinn (davon ein Exemplar der französischen Armee, 6. Regiment der leichten Infanterie), eiserne Gürtelschnalle, Bleikugeln.

V12/2012 (GC 2012_06) – Pferdebestattung
Grabungsdaten: Aspern – ehemaliges Flugfeld, Baufeld J9, Befund V12; Fnr. MV 101.812–101.814
Befund: Flache, rechteckige Grube (N-S orientiert. 2,30 x 0,96 x 0,20 m) mit zwei Pferdeskeletten.
Funde: Fragment einer Granate aus Eisen.

V33/2012 (GC 2012_06) – Massengrab
Grabungsdaten: Aspern – ehemaliges Flugfeld, Baufeld D2, Befund V33; Fnr. MV 101.902
Befund: Rechteckige, seichte Grube (N-S orientiert. 3,20 x 0,80 x 0,25 m) mit zehn annähernd vollständig erhaltenen Skeletten in Bauch- und Rückenlage sowie entgegengesetzter Orientierung in zwei Lagen übereinander.
Funde: Knöpfe aus Bein und Buntmetall, eine Schnalle aus Buntmetall, eiserne Hafteln, eiserne Schuhnägel und Sohlenrest, Bleikugeln.

V100/2012 (GC 2012_06) – Pferdebestattung
Grabungsdaten: Aspern – ehemaliges Flugfeld, Baufeld J9, Befund V100; Fnr. MV 101.811
Befund: Rechteckige Grube (O-W orientiert. Erhaltener Rest 1,20 x 0,80 m) mit Resten einer Pferdebestattung, von modernen Bodeneingriffen mehrfach gestört und deshalb nicht weiter ausgegraben.
Funde: Ein Beschlag aus Bronzeblech (verlagert), eiserne Kanonenkugel.

V1/2010 (GC 2010_05) – Doppelbestattung
Grabungsdaten: Aspern – ehemaliges Flugfeld, Baulogistikzentrum, Befund V1; Fnr. MV 101.601–101.638, 101.648, 101.652
Befund: Seichte Grube (annähernd N-S orientiert. 2,1 x 0,8 x 0,2 m; ca. 0,6 m unter Humusoberkante) mit zwei Skeletten in entgegengesetzter Lage.
Funde: 28 Knöpfe aus Zinn, sieben Knöpfe aus Bein, ein eisernes Haftel, vier Fragmente von Stecknadeln aus Bronze, eiserne Kugel (Kartätsche).

V2/2010 (GC 2010_05) – Massengrab (Knochengrube)
Grabungsdaten: Aspern – ehemaliges Flugfeld, Baulogistikzentrum, Befund V2; Fnr. 101.639, 101.640

Befund: Muldenförmige, seichte Grube (ca. 1,4 x 3,8 x 0,2 m), die bereits vom Bagger angefahren worden war, mit sekundär deponierten Skelettresten (Knochen nicht im anatomischen Verband).
Funde: Bearbeitetes Knochenplättchen, Keramik- und Eisenfragmente.

V3/2010 (GC 2010_05) – Massengrab (Knochengrube)
Grabungsdaten: Aspern – ehemaliges Flugfeld, Wegenetz, Befund V3; Fnr. MV 101.641–101.647, 101.649–101.651
Befund: Rechteckige Grube (0,9 x 1,5 x 0,25 m; ca. 0,35 m unter Humusoberkante) mit dichter Knocheneinfüllung sekundär deponierter Skelettreste (Knochen nicht im anatomischen Verband).
Funde: Knopf und Fragment eines Haftels aus einer Kupferlegierung, Knopf aus Zinn, Messer aus Eisen, eiserne Schuhnägel, Beschlagfragmente aus Eisenblech, Bleikugeln, Keramikfragmente.

V74/2010 (GC 2010_05) – Pferdebestattung?
Grabungsdaten: Aspern – ehemaliges Flugfeld, Wegenetz, Befund V74; Fnr. MV 101.713
Befund: Rechteckige Grube, großteils bereits von Bombentrichter rezent gestört (erh. 1,4 x 1,3 m; 0,5 m unter Humusoberkante). Wurde von Raubgräbern durchwühlt, wobei Pferdeknochen zutage kamen. Pferdebestattung? (– ohne weitere Befundung).
Funde: –

V75/2010 (GC 2010_05) – Pferdebestattung
Grabungsdaten: Aspern – ehemaliges Flugfeld, Wegenetz, Befund V75; Fnr. MV 101.725, 101.726
Befund: Rechteckige Grube (1,5 x 2,55 x 0,15 m; ca. 0,62 m unter Humusoberkante) mit nahezu vollständig erhaltenem Pferdeskelett (nur Teile des Schädels und eines Hinterbeines durch Pflug oder Bagger ausgerissen).
Funde: Drei Hufeisen (in situ), eine eiserne Kanonenkugel aus dem Baggeraushub.

V4/2010 (GC 2009_08) – Massengrab
Grabungsdaten: Aspern – Verlängerung der U2 ins ehemalige Flugfeld, Bauabschnitt U2/16, Befund V4; Fnr. MV 90.201–90.214, 90.272–90.275
Befund: Flache Grube (N-S orientiert) mit vier, entgegengesetzt orientierten Skeletten in Rückenlage.
Funde: Zwei Zinnknöpfe, sechs Knöpfe aus einer Kupferlegierung sowie eine abgebrochene Öse, ein eiserner Schuhnagel und ein eisernes Absatzeisen, Textilreste, eiserne Kugel (Kartätsche).

V15/2010 (GC 2009_08) – Massengrab
Grabungsdaten: Aspern – Verlängerung der U2 ins ehemalige Flugfeld, Bauabschnitt U2/16, Befund V15; Fnr. MV 90.218–90.223, 90.225–90.247, 90.249–90.271, 90.276–280
Befund: Flache Grube (NO-SW orientiert) mit Skeletten/Skelettteilen von mindestens 12 Individuen, durch modernen Bodeneingriff gestört. Entgegengesetzt orientierte Unterschenkel- und Fußknochen deuten auf eine zweite Lage Bestatteter hin, somit kann eine Belegung mit 22 Individuen angenommen werden.
Funde: Vier Zinnknöpfe, 44 Knöpfe aus einer Kupferlegierung, zwei Schnallen, Hafteln aus Bronze und Eisen, eine Münze, Textilreste, zwei Eisenkugeln (Kartätschen), drei Bleikugeln.

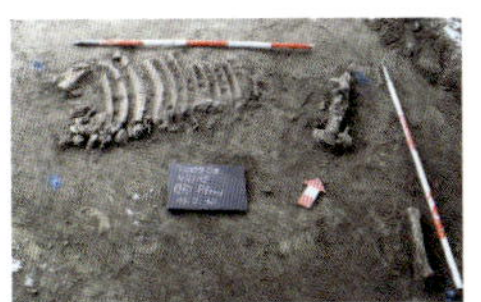

V16/2010 (GC 2009_08) – Pferdebestattung
Grabungsdaten: Aspern – Verlängerung der U2 ins ehemalige Flugfeld, Bauabschnitt U2/15, Befund V16; Fnr. MV 90.224
Befund: Reste einer Pferdebestattung.
Funde: –

V13/2010 (GC 2009_08) – Pferdebestattung
Grabungsdaten: Aspern – Verlängerung der U2 ins ehemalige Flugfeld, Bauabschnitt U2/16, Befund V13; Fnr. MV 90.215
Befund: Reste einer Pferdebestattung.
Funde: Ein Hufnagel.

V47/2009 (GC 2009_03) – Pferdebestattung
Grabungsdaten: Aspern – ehemaliges Flugfeld, Dg7-Radweg, Befund V47; Fnr. MV 79.271
Befund: Pferdebestattung in seichter, muldenförmiger Grube, ca. 0,35 m unter Humusoberkante, nur mehr teilweise erhalten (von Pflug angefahren).
Funde: –

2009 (GC 2009_03) – Pferdebestattung
Grabungsdaten: Aspern – ehemaliges Flugfeld, Wegenetz um Dg6
Befund: Pferdeknochen – ohne weitere Befundung, disloziert bzw. gestört angetroffen.
Funde: –

2009 (GC 2009_03) – Pferdebestattung
Grabungsdaten: Aspern – ehemaliges Flugfeld, Wegenetz um Dg6
Befund: Pferdeknochen – ohne weitere Befundung, disloziert bzw. gestört angetroffen.
Funde: –

2009 (GC 2009_03) – Pferdebestattung
Grabungsdaten: Aspern – ehemaliges Flugfeld, Wegenetz um Dg6
Befund: Pferdeknochen – ohne weitere Befundung, disloziert bzw. gestört angetroffen.
Funde: –

2009 (GC 2009_03) – Pferdebestattung
Grabungsdaten: Aspern – ehemaliges Flugfeld, Wegenetz um Dg6
Befund: Pferdeknochen – ohne weitere Befundung, disloziert bzw. gestört angetroffen.
Funde: –

Altfunde

1980–2009
Fundort: Nicht lokalisierbar – gesamter Bereich um Aspern
Befund/Funde: Streu- bzw. Lesefunde, durch Ackertätigkeit und „Sondengänger" ans Tageslicht gebracht. Fundverbleib: Geringe Anzahl von Funden im Museum Aspern-Essling 1809, Asperner Heldenplatz 9.

1979/1980 (GC 1979_06) – Massengrab
Fundort: Nicht lokalisierbar – südlicher Teil des Asperner Flugfelds
Befund: Im Zuge der Rettungsgrabungen des Historischen Museums der Stadt Wien anlässlich des Neubaus des Opel-/General-Motors-Motorenwerkes wurden in Einzelgräbern und mindestens einem Massengrab rund 70 Individuen sowie eine Pferdebestattung aufgedeckt.
Funde: Knöpfe mit Nummern französischer Regimenter (Infanterie-Regimenter Nr. 1, 3, 4, 11, 12, 16, 18, 19, 24, 40, 41, 64, 72, 76, 94; Artillerie-Regiment Nr. 7; Kürassierregiment Nr. 11; Jägerregiment Nr. 14). Fundverbleib? Die Skelette wurden am Zentralfriedhof wiederbestattet.
Literatur: Aspern von der Steinzeit zum Motorenwerk, 70. Sonderausstellung des Historischen Museums der Stadt Wien, 26. März bis 17. Mai 1981, Wien 1981, 35, 69, 72.

1964 (GC 1964_07) – Massengrab
Fundort: Ultzmanngasse 54 (Parz. 137), KG Eßling
Befund: 1964 erfolgte Bergung von mindestens drei N-S orientierten Körperbestattungen aus einer Baugrube.
Funde: Eine große Eisenkugel, fünf Knöpfe des 17. Linieninfanterie-Regiments der französischen Armee. Fundverbleib: Heeresgeschichtliches Museum, Wien.
Literatur: C. Eibner, Wien XXII, Eßling, Fundberichte aus Österreich 8, 1961–1965 (1974) 209.

1958 (GC 1958_07) – Massengrab
Fundort/Befund: 1958 wurden vor dem Haus Eßlinger Hauptstraße 139 elf Skelette aus der Zeit der Napoleonischen Kämpfe aufgedeckt. Fundverbleib: Die Skelette wurden nicht aufbewahrt.
Literatur: Wien XXII, Eßling, Fundberichte aus Österreich 7, 1956–1960 (1971) 197.

1958 – Pferdebestattung
Fundort: Eßling (Mühlhäufel 341/2?)
Befund: Pferdebestattung, ohne genauere Angaben.
Literatur: Unpubliziert. Fundakten Wien Museum/Stadtarchäologie.

1939
Fundort: Nicht lokalisierbar – Bereich Rollfeld des Flughafens
Befund/Funde: Im Zuge der Einebnungsarbeiten am Rollfeld (Erweiterung und Errichtung der Rollbahnen) neben ur- und frühgeschichtlichen Funden auch immer wieder Kleinfunde aus dem Jahr 1809. Auf dem Gelände, ohne nähere Ortsangabe als Streufunde aufgesammelt: mehrere Geschosskugeln, ein Sporn, zwei Uniformknöpfe, eine Pfeife, Geschossbruchstücke, Hufeisenfragmente, Steigbügel, Pferdephalangen, menschli-

che Schädel. Fundverbleib: großteils Wien Museum, Inv.-Nr. MV 37.039 (Metallobjekte).

Literatur: FP 1939/7, 8, 12, 13, 40, 59 Wien Museum.

1937 (GC 1937_37) – Massengrab
Fundort: Ehem. Raasdorfer Straße (ungefähre Lage: Ecke Pilotengasse-Böckingstraße)
Befund/Funde: Beim Bau der Fliegerkaserne wurde ca. 4,6 m von der Ecke der südöstlichen Außenmauer des Wirtschaftsgebäudes entfernt im Humus eine Grube (Grubenoberkante –0,43 m unter Humusoberkante; Maße: 2,2 x 2,2 m, Tiefe 1,4 m) mit übereinander deponierten Soldatenleichen entdeckt. Fundverbleib: „... eine Reihe von Köpfen ins Anthrop. Inst. Prof. Weninger; Photo der Lichtbildstelle 26.8.37."
Literatur: Unpubliziert. FP 16/1937 Wien Museum.

1934 (GC 1934_21) – Massengrab
Fundort: In der neuen Stadtrandsiedlung, Anlage III, Aspern, Flugplatz 4 (heute Enzianweg 19)
Befund: Bei Kelleraushebungen wurden mehrere menschliche Skelettteile (vier Schädel und ein vollständiges Skelett) gefunden.
Funde: Metallknöpfe, Schnalle. Fundverbleib?
Literatur: Ortsakte Wien Museum.

1933 – Massengrab
Fundort: Sandgrube der Gemeinde Eßling, Parz. 5
Befund: Im Herbst 1933 ein Massengrab der Schlacht angefahren. Anfang Juni 1934 Notgrabung durch K. Hetzer im Auftrag des Niederösterreichischen Landesmuseums.
Literatur: Unpubliziert. Fundakte Bundesdenkmalamt. Bericht im Niederösterreichischen Landesmuseum.

1928 – Massengrab
Fundort: Derzeit nicht näher lokalisierbar
Befund: In einer neu angelegten Kalkgrube bei der Gaststätte der Mitropa AG, östl. des Beobachtungsturmes, fanden sich in drei Meter Tiefe Skelette, zum Teil übereinander liegend, annähernd O-W orientiert. Erwähnt werden 6–7 Schädel und besonders große Langknochen. Ursprünglich größeres Massengrab, da weitere Skelettreste im Boden verblieben. Die geborgenen Knochen begrub man wieder in unmittelbarer Nähe in einer kleinen Grube.
Funde: Zwei Beinknöpfe, ein Lederschirm einer Kappe, eine große Eisenschnalle. Fundverbleib?
Literatur: J. Czech-Czechenherz, Bericht an das BDA 4.9.1928 (unpublizierte Ortsakte Bundesdenkmalamt).

Literatur

Literatur zu den archäologischen Ausgrabungen

- M. Binder/S. Sakl-Oberthaler/S. Czeika/M. Penz, The Battle of Aspern in 1809. Archaeological and bioarchaeological observations. In: S. Eickhoff/ F. Schopper (Hrsg.), Schlachtfeld und Massengrab. Spektren interdisziplinärer Auswertung von Orten der Gewalt. Fachtagung vom 21. bis 24. November 2011 in Brandenburg a. d. Havel, Forschungen zur Archäologie im Land Brandenburg, Bd. 15 (Wünsdorf 2014) 365–377.
- M. Binder/S. Sakl-Oberthaler, Battle Dead of Aspern. Discovering Napoleon´s defeated army. In: Current World Archaeology Issue 62, December 2013/January 2014, 26–31.
- M. Binder/M. Penz/S. Sakl-Oberthaler, The Battle of Aspern – Archaeological and Bioarchaeological Observations. In: SHA Newsletter (Society for Historical Archaeology) 45/1, 2012, 20–22.
- M. Penz, Wien 22, Aspern – ehem. Flugfeld. In: Fundort Wien 13, 2010, 224–226.
- M. Penz, Wien 22, Aspern – ehemaliges Flugfeld. In: Fundort Wien 14, 2011, 250–257.
- M. Penz, Wien. KG Aspern, 22. Bezirk. In: Fundberichte aus Österreich 51, 2012, 359–361 und D3412–D3423.
- M. Penz, Wien 22, Aspern – ehemaliges Flugfeld. In: Fundort Wien 16, 2013, 214–223.
- M. Penz, Die ur- und frühgeschichtliche Besiedlung in Aspern, Wien 22 – ein Überblick. In: Fundort Wien 16, 2013, 84–95.
- M. Penz, Wien. KG Aspern, 22. Bezirk. In: Fundberichte aus Österreich 52, 2013, 400–402 und D5230–D5241.
- M. Penz, Wien 22, Seestadt Aspern. In: Fundort Wien 17, 2014, 239–246.
- M. Penz, KG Aspern, 22. Bezirk. In: Fundberichte aus Österreich 53, 2014, 395–397 und D6592-D6601.
- M. Penz, Wien 22, Seestadt Aspern. In: Fundort Wien 18, 2015, 291–297.
- M. Penz, Wien 22, Seestadt Aspern – Seeparkquartier. In: Fundort Wien 19, 2016, 187–189.
- S. Sakl-Oberthaler, Wien 22, Aspern – Verlängerung der U2 ins ehemalige Flugfeld. In: Fundort Wien 14, 2011, 258–260.

Literatur

- Abrichtungs-Reglement für die kaiserliche und kaiserlich-königliche Infanterie, Wien 1806.
- G. Anger, Illustrierte Geschichte der k. u. k. Armee, 2. Bd., Wien 1900, 412–453.
- Aufsatz über die Eintheilung der Leibes=Montur nach Classen und Gattungen und ihre verschiedene Stämplung, Wien 1808.

- I. Becker, Die Pferde aus dem sächsischen Gräberfeld Rullstorf (Ldkr. Lüneburg) – eine anatomisch-paläopathologische Untersuchung und ein Vergleich mit rezenten Pferdepopulationen, Leipziger online-Beiträge zur Ur- und Frühgeschichtlichen Archäologie 27, Leipzig 2007.
- Beinknopffabrikation in Frankreich. In: Gewerbevereinsblatt der Stadt Fürth Nr. 5, 1845, 19–20.
- Beschreibung der Handlung und des Industriefleißes der k. k. Haupt- und Residenzstadt Wien, Wien/Leipzig 1803.
- K. Binder v. Krieglstein/M. v. Hoen, Der Krieg Napoleons gegen Österreich 1809. Bd. II. Aspern und Wagram, Berlin 1906.
- R. Bouchal/J. Sachslehner, Napoleon in Wien, Fakten und Legenden, Wien/Graz/Klagenfurt 2008.
- F. M. F. Bouwinghausen v. Wallmerode, Anweisung die Pferde besser und nüzlicher als bisher zu beschlagen, nebst den Krankheiten des Hufs (etc.), Stuttgard 1780.
- M. Brandl, Characterisation of Middle European Chert Sources. A Multi Layered Approach to Analysis, Diss. Univ. Wien 2013, 126–216.
- Th. Brock/A. Homann (Hg.), Schlachtfeldarchäologie. Auf den Spuren des Krieges. Archäologie in Deutschland Sonderheft 2/2011 (Darmstadt 2011).
- C. Edler von Bundschuh, Uibersicht des bey der K. K. Oesterreichischen Armee bestehenden Militär-Oeconomie-Systems, und aller dahin Bezug nehmenden Gesetze [...], Erster Band, Prag 1813.
- C. Edler von Bundschuh, Handbuch aller seit dem Militärjahre 1767, als dem Anfange des in der k. k. österreichischen Armee itzt bestehenden Militär-Oekonomie-Systems, bis zum Schluße des bürgerlichen Jahres 1821, erflossenen und noch als Gesetz bestehenden Normal-Vorschriften, Erster Band, Prag 1822.
- Ch. L. Cadet de Gassicourt, Reise nach Österreich, Bayern und Mähren. Mit der französischen Armee im Feldzug 1809. Deutsch von Peter Weiss, Wien 1985.
- T. E. Crowdy, Napoleon´s Infantry Handbook. An Essential Guide to Life in the Grand Army, Barnsley 2015.
- Das bedrängte und befreite Österreich im Jahr 1809. Dargestellt in unparteyischen Briefen eines Augenzeugen an seinen Freund in Brünn, Heft 1–2, Wien 1809.
- Dienst-Reglement für die kaiserliche königliche Infanterie, zwei Bände, Wien 1807.
- Dienst-Reglement für die kaiserlich-königliche Cavallerie, zwei Bände, Wien 1807.
- J. R. Elting/H. Knötel, Napoleonic Uniforms, zwei Bände, New York 1993.
- Erzherzog Karl und Napoleon, Leipzig 1845.
- L. Fallou, Le bouton uniforme français, Paris 1915.
- L. u. F. Funcken, Historische Uniformen 3 – Napoleonische Zeit I, München 1978.

- L. u. F. Funcken, Historische Uniformen 4 – Napoleonische Zeit II, München 1978.
- A. Ritter v. Geusau, Historisches Tagebuch aller merkwürdigen Begebenheiten, welche sich vor, während und nach der französischen Invasion der k. k. Haupt- und Residenzstadt Wien in dem Jahr 1809 zugetragen haben, Wien 1810.
- K.-H. Habermehl, Die Altersbestimmung bei Haus- und Labortieren, Hamburg/Berlin 1975.
- F. Hübler, Die Militär-Pauschgelder, Wien 1824.
- F. Hübler, Militär-Oekonomie-System der kaiserlichen königlichen österreichischen Armee, 4. Bd., Wien 1820 und 6. Bd., Wien 1821.
- Katalog der Erzherzog Carl-Ausstellung zur Jahrhundertfeier der Schlacht von Aspern, Wien 1909.
- J. Karger, Entwicklung der Adjustierung, Rüstung und Bewaffnung der Österreichisch-Ungarischen Armee von 1700 bis 1809, Buchholz 1998.
- St. v. Keeß, Darstellung des Fabriks- und Gewerbswesens im österreichischen Kaiserstaate, zweiter Teil, zweiter Band, Wien 1823.
- L. Kiesewalter, Skelettmessungen am Pferde als Beitrag zur theoretischen Grundlage der Beurteilungslehre des Pferdes. Leipzig 1888.
- D. Knoell, Des Herrn de la Guérinière Reitkunst oder gründliche Anweisung zu Kenntnis der Pferde, deren Erziehung, Unterhaltung, Abrichtung nach ihrem verschiedenen Gebrauch und Bestimmung, Marburg [3]1817.
- H. u. R. Knötel/H. Sieg, Farbiges Handbuch der Uniformkunde, Augsburg 1996.
- P. Kolecko/P. Dachgruber, 1809–2009. 200 Jahre Marchfeldschlachten Aspern und Wagram, Gnas 2009.
- H. Krause, Napoleon, der Vormärz in Österreich und die Revolution von 1848. In: S. Sakl-Oberthaler et al. (Hrsg.), Von der mittelalterlichen Stadtmauer zur neuzeitlichen Festung Wiens, Monografien der Stadtarchäologie Wien 9, Wien 2016, 203 f.
- I. Krumpöck: Die Bildwerke im Heeresgeschichtlichen Museum, Wien 2004, 42–43.
- H. Janetschek, Nadeln, Knöpfe, Herzlschnallen. In: Magie der Industrie, München 1989, 314–319.
- A. de Laborde, Précis Historique de la Guerre entre la France et L´Autriche en 1809, Voyage Pittoresque en Autriche, Tome 3, Paris 1822.
- M. Lörcher/U. Mayr, Gräberfunde an der Mühlegasse in Schaanwald. In: Jahrbuch des Historischen Vereins für das Fürstentum Liechtenstein 94, 1997, 248–263.
- A. Mader-Kratky, Wien ist keine Festung mehr. Zur Geschichte der Burgbefestigung im 18. Jahrhundert und ihrer Sprengung 1809. In: Österreichische Zeitschrift für Kunst und Denkmalpflege, Heft 1/2, 2010, 134–144, bes. 143.

- E. May, Widerristhöhe und Langknochenmaße bei Pferden – ein immer noch aktuelles Problem, Zeitschrift für Säugetierkunde 50, 1985, 368–382.
- M. Mohl, Aus den gewerbswissenschaftlichen Ergebnissen einer Reise in Frankreich, Stuttgart/Tübingen 1845, 265–282.
- Napoleon in Österreich. Katalog der Sonderausstellung im Österreichischen Zinnfigurenmuseum, Schloss Pottenbrunn, 31. März bis 28. Oktober 1973, St. Pölten 1973.
- R. Novak, Aspern 1809. In: Aspern von der Steinzeit zum Motorenwerk. 70. Sonderausstellung des Historischen Museum der Stadt Wien 26. März bis 17. Mai 1981, Wien 1981, 58–74.
- Offizielle Berichte von der Schlacht bei Enzersdorf und Teutsch-Wagram am 5. und 6. Julius 1809 nebst Nachträgen eines Augenzeugen und einer kurzen Übersicht der Begebenheiten bis zum Frieden von Wien den 14. October 1809, Weimar 1810.
- R. v. Ottenfeld/O. Teuber, Die Österreichische Armee von 1700 bis 1867, unveränderter Nachdruck der Ausgabe von 1895, Graz 1971.
- General (Jean-Jacques) Pelet, Feldzug des Kaisers Napoleon in Deutschland im Jahre 1809 [...], Bd. 1, Stuttgart 1824.
- M. Penz/G. Trnka, Ein ehemaliges Flintensteindepot aus dem Schloss Neugebäude. In: Fundort Wien 7, 2004, 234–244.
- M. Rauchensteiner, Die Schlacht von Aspern am 21. und 22. Mai 1809. Militärhistorische Schriftenreihe, Heft 11, Wien 1969 (Nachdruck 1978).
- M. Rauchensteiner, Die Schlacht bei Deutsch Wagram am 5. und 6. Juli 1809, Militärhistorische Schriftenreihe, Heft 36, Wien 1973.
- C. Reichl-Ham, Das Jahr 1809 im Spiegel der Objekte des Heeresgeschichtlichen Museums. In: Viribus Unitis. Jahresbericht 2009 des Heeresgeschichtlichen Museums, Wien 2010, 88–109.
- L. Rousselot, Napoleons Armee 1800–1815, Berlin 2010.
- Sammlung der Pläne und Nachrichten von den beiden Hauptschlachten Gross-Aspern und Teutsch-Wagram auf dem Marchfelde bei Wien zwischen der Französischen und Österreichischen Armee im Jahr 1809 [...], Weimar 1809.
- Sammlung aller Tags-Berichte von der kais. königl. Armee, 1809.
- S. W. Schießler, Handbuch aller bisher erschienenen, in Kraft und Wirksamkeit stehenden Gesetze, Normalien, Directiven und sonstigen Vorschriften, in Bezug auf Uniformirung, Adjustirung, Montur, Rüstung, Armatur, Munition, Pack-, Feld- und Spitals-Geräthe, dann Bettenfournituren der kais. königl. österreichischen Armee; zunächst für Militär-Monturs-Oeconomie-Commissionen [...], Prag 1834.
- K. A. Schimmer, Die französischen Invasionen in Österreich und die Franzosen in Wien in den Jahren 1805 und 1809, Wien 1846.
- A. Seaton, Die österreichisch-ungarische Armee in der Zeit der Napoleonischen Kriege, Armeen und Waffen Bd. 3, Bonn 1979.
- E. M. v. Saint-Hilaire, Populäre Geschichte Napoleons und der großen Armee, Pforzheim 1843.

- Staatsrath (Antoine-Claire) Thibaudeau, Napoleon Bonaparte, dargestellt in einer umfassenden Geschichte seines öffentlichen und Privat-Lebens, seiner politischen und militärischen Laufbahn, seiner Regierung und seiner Administration, Stuttgart/Tübingen 1828.
- J. Swann, How a Man´s Boots became Children´s Shoes, 1842. In: In Between. Culture of Dress between the East and the West. ICOM´s Costume Committee. Proceedings of the 64th Annual Conference September 25–30, 2011, Ethnographic Museum, Belgrade, Serbia. 242–247.
- F.-X. Schweickhardt, Das Marchfeld. Geschichtlich-pittoresk dargestellt, von der Urzeit bis auf unsere Tage, nebst Beschreibung der Schlachten bei Aspern und Deutsch-Wagram und der letzten großen Überschwemmung, Wien 1842.
- W. Telesko, Kulturraum Österreich. Die Identität der Regionen in der bildenden Kunst des 19. Jahrhunderts, Wien/Köln/Weimar 2008, 46–48, 103–105, 108–112, 127–142.
- Vollständiges Auskunftsbuch oder einzig richtiger Wegweiser in der kaiserl. Königl. Haupt- und Residenzstadt Wien, Wien 1808, 137.
- R. Waissenberger, Der Krieg von 1809. In: Aspern von der Steinzeit zum Motorenwerk. 70. Sonderausstellung des Historischen Museums der Stadt Wien, 26. März bis 17. Mai 1981, Wien 1981, 55–57.
- N. Waugh, The Cut of Men´s Clothes 1600–1900, New York 1987.
- J. Weiner, Flintensteine. In: H. Floss (Hrsg.), Steinartefakte. Vom Altpaläolithikum bis in die Neuzeit, Tübingen 2012, 961–972.
- J. Ziemann, „Hufbeschlag der Pferde“. Transkription und Besprechung einer Handschrift nach August Conrad Havemann (Hannover 1816), Gießen 2012.

Museen und Napoleon-Rundwanderweg

- Heeresgeschichtliches Museum
  http://www.hgm.at/
- Museum „Aspern 1809“ und Museum Schüttkasten Essling
  http://www.magazin-donaustadt.at/1809/
- Lobau. Napoleon-Rundwanderweg
  https://www.wien.gv.at/umwelt/wald/erholung/nationalpark/freizeit/napoleon.html
  http://www.donauauen.at/besucherinfo/nationalparkhaus-wien-lobau/
  Ein Folder zum „Napoleon-Rundwanderweg“ ist im nationalparkhaus wien-lobAU, bzw. in der Forstverwaltung Lobau erhältlich.
- http://www.donauauen.at/?area=experience&subarea=self&story_id=17943

Abbildungsnachweis

- M. Binder/ÖAI (S. 101, 108, 110, 116, 117 oben: Fotos; S. 115: Grafik)
- British Museum (S. 73: „Shoeing asses", Kupferstich nach Isaak Cruikshank, veröffentlicht von Laurie & Whittle, London 1807, © The Trustees of the British Museum, Museum Number 1861.0518.1143/ Image PPA167301)
- S. Czeika (S. 83, 92: Fotos)
- N. Gail/ÖAI (S. 103, 107, 111, 112, 117 unten rechts: Fotos)
- O. Harl (S. 10: Foto)
- Heeresgeschichtliches Museum, Wien (S. 28: Erzherzog Karl mit seinem Stab in der Schlacht von Aspern 1809, Gemälde von J. P. Krafft, Inv.-Nr. 1925_15_BI13440; S. 46: „Avancer des Autrichiens", Gemälde von Johann Baptist Seele [1774–1814], 1797, Inv.-Nr. 2003_15_160)
- Österreichische Nationalbibliothek Wien, Bildarchiv (S. 14: Napoleon umgeben von seinen Generälen. Lithografie von J. Konrad nach einem Gemälde von D. Monten [1799–1843], Inv.-Nr. Pk 3003,214a; S. 4 [Detail] und 26: Österreichische Infanterie erstürmt den Kirchhof von Aspern. Kupferstich von A. Pucherna nach einer Zeichnung von F. v. Habermann, Inv.-Nr. Pk 3003, 498; S. 5 [Detail] und 27: Angriff französischer Kürassiere auf die Österreichische Kavallerie. Kupferstich von A. Pucherna nach einer Zeichnung von F. v. Habermann, Inv.-Nr. Pk 3003, 499; S. 49: Details aus „Deutsche Infanterie (1798–1805)" und „Grenadier und Generalmajor (1809)", Aquarelle von R. von Ottenfeld aus: R. von Ottenfeld/O. Teuber, Die österreichische Armee von 1700 bis 1867, Wien 1895, http://data.onb.ac.at/rec/AC10371716, Signatur 272224-D.1 Fid; S. 50: Details aus „Offizier und Grenadier der ungarischen Infanterie (1798–1805)" und „Ungarische und deutsche Infanterie (1806)", ebd.; S. 52: „Husar (1798–1806)", ebd.; S. 53: „Kürassiere (1815)", ebd.; S. 132: Karl, Erzherzog von Österreich, Inv.-Nr. PORT_00048506_01; S. 133: Napoleon I. Bonaparte, Kaiser der Franzosen, Inv.-Nr. PORT_00039208_01)
- M. Penz (S. 4, 5, 6, 8 oben und unten links, 11, 36, 38, 39, 40, 42/43, 45 unten, 78 rechts, 87, 88, 90, 91, 94, 98, 117 unten links, 135, 136, 137, 138, 140, 150: Fotos)
- Ch. Ranseder (S. 8 unten rechts, 61, 62, 63, 65, 68, 69, 71, 72, 74, 75, 76, 77, 78 links, 79, 80, 81, 82, 95, 122, 127: Fotos; S. 6, 8, 14, 18, 20, 28, 34, 46, 88, 98, 122: Hintergrund-Fotos)
- S. Sakl-Oberthaler (S. 44, 45 oben, 125, 126, 139: Fotos)
- Stadtarchäologie Wien (S. 20, 34: Pläne)
- G. Trnka (S. 84, 85, 86: Fotos)
- Wienbibliothek im Rathaus, Druckschriftensammlung (S. 18: „Bombardement de Vienne la nuit du 11. au 12. Mai" aus: A. de Laborde, Précis Historique de la Guerre entre la France et l´Autriche en 1809. Voyage Pittoresque en Autriche Tome III, Paris 1822, Signatur d-52002; S. 22: „Les Tentes de l´Empereur dans l´Isle Lobau", ebd. S. 62; S. 23: „Bois

d´Ebersdorf, et reconstruction du Pont de bateaux", ebd.; S. 128/129: „Plan de l´Ile Lobau", ebd.; S. 130: „Entrée de la téte de Pont dans Lobau", ebd.; S. 55: „Linien-Infanterie (1808)" und „Leichte Infanterie (1809)" aus: H. Bellangé, Die Soldaten der französischen Republik und des Kaiserreiches, Leipzig 1843, Signatur B-97907; S. 57: „Kürassier (1809)", ebd.)

- Wien Museum (S. 24/25: Detail der „Carte der Gegend um Wien nebst Plan der Bataille bei Asparn und Esling welche den 21ten und 22ten May 1809 daselbst vorgefallen", Inv.-Nr. I.N. 37.082; S. 31: „Le Palais du Prince Metternich en 1809", Aquarell von F. Jaschke, Inv.-Nr. HMW 105517)

Dank

- PD Dr. Sabine Ladstätter, Direktorin des Österreichischen Archäologischen Instituts, Österreichische Akademie der Wissenschaften.
- DI Dr. Robert Linke und den MitarbeiterInnen des Naturwissenschaftlichen Labors, Abteilung für Konservierung und Restaurierung, Bundesdenkmalamt.
- ao. Univ.-Prof. Dr. Gerhard Trnka, Institut für Urgeschichte und Historische Archäologie, Universität Wien.

Abbildungen Seite 4: Skelett eines Soldaten mit Bleikugel im Beckenbereich / Beim Freilegen eines Pferdeskeletts / Detail aus dem Kupferstich „Österreichische Infanterie erstürmt den Kirchhof von Aspern" / Ausgetrockneter Boden / Pferdeskelette. **Seite 5:** Beim Freilegen der Bestattung eines Soldaten / Schädel / Vorderlauf eines Pferdes mit Hufeisen / Detail aus dem Kupferstich „Angriff französischer Kürassiere auf die Österreichische Kavallerie" / Beim Dokumentieren eines Grabes.

Impressum

Herausgeber:	Museen der Stadt Wien – Stadtarchäologie Leitung: Mag. Karin Fischer Ausserer Obere Augartenstraße 26–28, A-1020 Wien, Austria Tel.: +43 (0)1 4000-81158 Fax: +43 (0)1 4000-99-81177 E-Mail: o@stadtarchaeologie.at www.wien.gv.at/archaeologie
Redaktion und Gestaltung:	Christine Ranseder
Textkorrektur:	Ute Stipanits
Druck:	Druckerei Hans Jentzsch & Co GmbH, 1210 Wien
Auslieferung und Vertrieb:	Phoibos Verlag Anzengrubergasse 16/9, A-1050 Wien, Austria Tel.: (+43) 1/544 03 191 Fax: (+43) 1/544 03 199 E-Mail: office@phoibos.at http://www.phoibos.at

ISBN 978-3-85161-170-0
Wien 2017

Bibliographische Information Der Deutschen Bibliothek
Die Deutsche Bibliothek verzeichnet diese Publikation in der Deutschen Nationalbibliographie; detaillierte bibliographische Daten sind im Internet über http://dnb.ddb.de abrufbar.

Namenskürzel

M. B. Michaela Binder
S. Cz. Sigrid Czeika
S. J.-W. Sabine Jäger-Wersonig
M. P. Martin Penz
L. Qu. Leslie Quade
Ch. R. Christine Ranseder
S. S.-O. Sylvia Sakl-Oberthaler

Der Schädel eines Soldaten bei der Bergung.